중·고등 영어도 독서되 1위 해커스다.

KB084882

해커스북 <sup>중·고등</sup>

# 해커스
## 쓰기
## 자신감과 함께하면
## 쓰기가 쉬워지는 이유!

쓰기에 꼭 필요한 핵심 포인트를 모두 담았으니까!

**1**

교과서와 내신
기출 빅데이터에서 뽑아낸
### 서술형 출제 포인트

**2**

대표 문제와 쉬운 설명으로
확실하게 학습하는
### 필수 문법 개념

# 해커스 쓰기 자신감

Level 1                    Level 2                    Level 3

## 충분한 훈련으로 완전히 내 것으로 만드니까!

**3**

문법 포인트별
풍부한 빈출 유형 문제로
### 서술형 집중 훈련

**4**

다양한 유형으로
다시는 틀리지 않도록 해주는
### 기출문제 & 짝문제

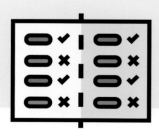

## 해커스 쓰기 자신감 시리즈를 검토해주신 선생님들

**강원**

황선준 청담어학원(춘천)

**경기**

강무정 광교EIE고려대학교어학원
금성은 플래닛학원
김민성 빨리강해지는학원
김현주 이존영어학원
원다혜 IMI어학원
이창석 정현영어학원

**경북**

정창용 엑소더스어학원

**광주**

정영철 정영철영어전문학원

**대구**

구현정 헬렌영어학원

**부산**

최지은 하이영어학원

**서울**

방준호 생각하는 황소영어학원
편영우 자이언학원

**세종**

한나경 윈힐(WINHILL)영수전문학원

**충북**

남장길 에이탑정철어학원


## 해커스 어학연구소 자문위원단 2기

**강원**

안서아 숲어학원 남산캠퍼스
최현주 최샘영어

**경기**

강민정 김진성의 열정어학원
강상훈 평촌RTS학원
강유빈 일링영어수학학원
권계미 A&T+ 영어
김남균 SDH어학원 세교캠퍼스
김보경 성일고등학교
김세희 이화킴스영어전문학원
김은영 신갈고등학교
나한샘 해법영어교실 프라임수학학원
두형호 잉글리쉬피티 어학원
박은성 GSE 어학원
박지승 신갈고등학교
배동영 이바인어학원탄현캠퍼스
서현주 웰어학원
연원기 신갈고등학교
윤혜영 이루다학원
이미연 김상희수학영어학원
이선미 정현영어학원
이슬기 연세센크레영어
이승주 EL영어학원
이주의 뉴욕학원
이충기 영어나무
이한이 엘케이영어학원
장명희 이루다영어수학전문학원
장소연 우리학원
장한상 티엔디플러스학원
전상호 평촌 이지어학원
전성훈 훈선생영어학원
정선영 코어플러스영어학원
정세창 팍스어학원
정재식 마스터제이학원
정필두 정상학원
조원웅 클라비스영어전문학원
조은혜 이든영수학원
천은지 프링크어학원
최지영 다른영어학원
최한나 석사영수전문

**경남**

김선우 호이겐스학원
라승희 아이작잉글리쉬
박정주 타임영어 전문학원
이지선 PMS영재센터학원

**경북**

김대원 포항영신중학교
김주훈 아너스영어
문재원 포항영신고등학교
성룡 미르어학원
엄영식 포항영신고등학교
정창용 엑소더스어학원

**광주**

강창일 MAX(맥스) 에듀학원
김태호 금호고등학교
임희숙 설월여자고등학교
정영철 정영철 영어전문학원
조유승 링즈영어학원

**대구**

구수진 석샘수학&제임스영어 학원
권익재 제이슨영어교습소
김광영 e끌리네영어학원
김보곤 베스트영어
김연정 달서고등학교
김원휘 글로벌리더스어학원
위영선 위영선영어학원
이가영 어썸코칭영어학원
이승현 학문당입시학원
이정아 능인고등학교
조승희 켈리외국어학원
주현아 강고영어학원
최윤정 최강영어
황은진 상인황샘영어학원

**대전**

김미경 이보영의토킹클럽유성분원
성태미 한울영수학원
신주희 파써블영어학원
이재근 이재근영어수학학원
이혜숙 대동천재학원
최애림 ECC송촌제우스학원

**부산**

고영하 해리포터영어도서관
김미혜 더멘토영어
김서진 케이트예일학원
김소희 윤선생GSE 센텀어학원
박정일 제니스영어
성현석 닉쌤영어교습소
신연주 도담학원
이경희 더에듀기장학원

**서울**

갈성은 씨앤씨(목동) 특목관
공현미 이은재학원
김시아 시아영어교습소
김은주 열정과신념영어학원
박병배 강북세일학원
신이준 정현어학원
신진희 신진희영어
양세희 양세희수능영어학원
윤승완 윤승완영어학원
이계윤 씨앤씨(목동) 학원
이상영 와이즈(WHY's) 학원
이정욱 이은재학원
이지연 중계케이트영어학원
정미라 미라정영어학원
정용문 맥코칭학원
정윤정 대치명인학원 마포캠퍼스
조용현 바른스터디학원
채가희 대성세그루영수학원

**세종**

김주년 드림하이영어학원
하원태 백년대계입시학원
홍수정 수정영어입시전문학원

**울산**

김한중 스마트영어전문학원
오충섭 인트로영어전문학원
윤창호 로제타스톤어학원
임예린 와엘영어학원
최주하 더 셀럽학원
최호선 마시멜로영어전문학원

**인천**

권효진 Genie's English
송숙진 예스영어학원
임미선 SNU에듀
정진수 원리영어
함선임 리본에듀학원
황혜림 SNU에듀

이아린 명진학원
이종혁 대동학원
이지현 7번방의 기적 영어학원
전재석 영어를담다
채지영 리드앤톡영어도서관학원

**전남**

김두환 해남맨체스터영수학원
류성준 타임영어학원

**전북**

강동현 커넥트영수전문학원
김길자 군산맨투맨학원
김유경 이엘 어학원
노빈나 노빈나영어학원
라성남 하포드어학원
박지연 박지연영어학원
변진호 쉐마영어학원
송윤경 줄리안나영어국어전문학원
이수정 씨에이엔영어학원
장윤정 혁신뉴욕어학원
장지원 링컨더글라스학원
최혜영 이든영어수학학원

**제주**

김랑 KLS어학원
박자은 KLS어학원

**충남**

문정효 좋은습관 에토스학원
박서현 EiE고려대학교 어학원 논산
박정은 탑씨크리트학원
성승민 SDH어학원 불당캠퍼스
손세윤 최상위학원 (탕정)
이지선 힐베르트학원

**충북**

강은구 강쌤영어학원
남장길 에이탑정철어학원
이혜인 위즈영어학원

# 해커스 쓰기자신감 Level 1

해커스 어학연구소

# 목차

# 구성 및 특징

## 한 페이지로 개념 이해부터 쓰기 훈련까지 완벽하게 끝내는 POINT 학습

**POINT 3** 의무·필요를 나타내는 must, have to
정답 및 해설 p. 11

우리말과 같도록 괄호 안의 말을 활용하여 문장을 완성하시오.

우리는 그 규칙을 따라야 한다. (have, follow)

We _____ the rules.

have를 활용해서 '~해야 한다'라는 의무를 나타내야 하므로 조동사 have to를 쓴다.

정답: have to follow

'~해야 한다'라는 의무·필요의 의미를 나타낼 때는 must나 have to를 쓴다. 단, '~하면 안 된다'라는 금지의 의미를 나타낼 때는 must not만 쓸 수 있고 don't have to는 쓸 수 없다. don't have to는 '~할 필요가 없다'라는 불필요의 의미를 나타낸다.
You **must not** pick the flowers in the park. 여러분은 공원에 있는 꽃들을 꺾으면 안 된다.
You **don't have to** worry. 너는 걱정할 필요가 없다.  * have to가 쓰인 긍정문/의문문: don't[doesn't] have to + 동사원형 / Do[Does] + 주어 + have to + 동사원형~?
TIP '~해야 했다'라는 의미로 과거에 대해 말할 때는 had to를 쓴다.

**[1–4] 우리말과 같도록 have to를 활용하여 빈칸에 쓰시오.**

1  우리는 오늘 저녁을 준비할 필요가 없다.
   = We _____ _____ _____ prepare dinner today.

2  그 학생들은 계단을 이용해야 했다.
   = The students _____ _____ _____ use the stairs.

3  Jackson은 내일 공항에 가야 한다.
   = Jackson _____ _____ _____ go to the airport tomorrow.

4  내가 도서관을 방문해야 하니?
   = _____ I _____ _____ visit the library?

**[5–10] 우리말과 같도록 must 또는 have to와 괄호 안의 말을 활용하여 문장을 완성하시오. (제시된 단어 수에 맞춰 쓸 것)**

5  여러분은 여기에 쓰레기를 버리면 안 됩니다. (throw away, trash) [6단어]
   = _____ here.

6  나의 여동생과 나는 설거지를 해야 한다. (wash, the dishes) [5단어]
   = My sister and I _____.

7  너는 이 양식에 서명해야 한다. (sign, this form) [5단어]
   = _____

8  Emily는 새 교복을 살 필요가 없다. (buy, a new school uniform) [9단어]
   = _____

9  나는 어제 그 책을 반납해야 했다. (return, the book) [6단어]
   = _____ yesterday.

10  너는 다시 학교에 늦으면 안 된다. (be, late for school) [7단어]
   = _____ again.

### ① 출제 포인트
교과서와 전국 내신 기출 빅데이터에서 뽑아낸 서술형 출제 포인트를 빠짐없이 학습할 수 있습니다.

### ② 대표 문제
각 출제 포인트가 실제 문제로 어떻게 출제되는지 먼저 확인하여 서술형에 익숙해지고 실전 감각도 기를 수 있습니다.

### ③ 개념 학습
쉽고 간결한 설명을 통해 서술형 대비에 꼭 필요한 문법 개념을 정확히 이해할 수 있습니다.

### ④ 연습 문제
포인트별로 가장 많이 출제되는 서술형 문제를 바로 풀어 봄으로써 쓰기 연습을 충분히 할 수 있습니다.

## 학습 효과를 더욱 높이는 부록

### 쓰기가 쉬워지는 기초 문법

중학 수준의 영어 문장을 쓰기 위해 꼭 알아야 하는 기초 문법과 주의해야 할 포인트가 정리되어 있어, 기초가 부족한 학습자도 기본기를 다지고 본 학습을 시작할 수 있습니다.

# 다시는 틀리지 않도록 철저하게 대비하는 **기출문제 풀고 짝문제로 마무리!**

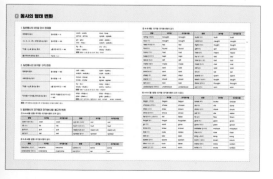

### ❶ 기출문제

실제 내신 시험에 출제되는 다양한 유형의 서술형 문제를 유형별로 충분히 풀어 볼 수 있습니다.

**고난도**
중간중간 고난도 문제를 수록하여 실수하기 쉬운 까다로운 문제에도 완벽하게 대비할 수 있습니다.

### ❷ 짝문제

기출문제를 푼 다음 동일한 출제 포인트의 짝문제를 한 번 더 풀어 봄으로써 맞힌 문제는 확실히 다지고, 틀린 문제는 왜 틀렸는지 바로 점검하며 다시는 틀리지 않는 탄탄한 실력을 쌓을 수 있습니다.

## 쓰기가 쉬워지는 암기 리스트

틀리기 쉬운 변화형 및 관사의 쓰임 등이 따로 정리되어 있어 용이하게 암기할 수 있습니다.

1. 동사의 형태 변화
2. 명사의 형태 변화와 관사의 쓰임
3. 형용사와 부사의 형태 변화

# 쓰기가 쉬워지는
# 기초 문법

**1. 품사:** 영어 단어의 8가지 종류

**2. 문장의 성분:** 영어 문장을 만드는 재료

**3. 문장의 형식:** 영어 문장의 5가지 형태

**4. 구와 절:** 말 덩어리

영어 단어는 기능과 성격에 따라 **명사, 대명사, 동사, 형용사, 부사, 전치사, 접속사, 감탄사**로 나눌 수 있고, 이를 **품사**라고 해요.

**❶ 명사**  명사는 사람, 사물, 장소, 개념 등의 이름을 나타내는 말로, 문장에서 **주어, 목적어, 보어**로 쓸 수 있어요.

**Steven** is my cousin. <주어>  Steven은 나의 사촌이다.

He does not like **carrots**. <목적어>  그는 당근을 좋아하지 않는다.

Her favorite sport is **basketball**. <보어>  그녀가 가장 좋아하는 운동은 농구이다.

✏️ **쓰기가 쉬워지는 TIP**
우리말과 달리 영어에서는 명사 앞에 a/an, the 같은 관사를 함께 써요. 명사에 따라 적절한 관사를 사용하도록 주의하세요.
(→ 명사의 형태 변화와 관사의 쓰임 p.144)

**❷ 대명사**  대명사는 명사를 대신하는 말로, 문장에서 **주어, 목적어, 보어**로 쓸 수 있어요.

Jane went shopping. **She** bought a new sweater. <주어>  Jane은 쇼핑하러 갔다. 그녀는 새 스웨터를 샀다.

Mom made two sandwiches. I ate **them**. <목적어>  엄마는 샌드위치 두 개를 만들었다. 나는 그것들을 먹었다.

Those sunglasses are **his**. <보어>  저 선글라스는 그의 것이다.

**❸ 동사**  동사는 사람, 동물, 사물 등의 동작이나 상태를 나타내는 말로, be동사, 일반동사, 조동사가 있어요.

Emily **is** from Australia.  Emily는 호주 출신이다.

They **went** to the amusement park.  우리는 놀이동산에 갔다.

We **must follow** the traffic rule.  우리는 교통 규칙을 따라야 한다.

**❹ 형용사**  형용사는 **명사나 대명사의 형태, 성질, 상태** 등을 나타내는 말로, 문장에서 명사나 대명사를 꾸미는 **수식어** 또는 주어나 목적어를 보충 설명하는 **보어**로 쓸 수 있어요.

He is a **diligent** student. <수식어>  그는 부지런한 학생이다.

The pumpkin pie is **delicious**. <주격 보어>  그 호박 파이는 맛있다.

The blanket kept me **warm**. <목적격 보어>  그 담요는 나를 따뜻하게 했다.

✏️ **쓰기가 쉬워지는 TIP**
우리말은 동사 없이 주어와 형용사만 가지고 완전한 문장을 만들 수 있지만, 영어에서는 동사 없이 주어와 형용사만 가지고 완전한 문장을 만들 수 없으니 주의하세요.
날씨가 좋다. (주어 + 형용사)
The weather is nice. (주어 + 동사 + 형용사)

**❺ 부사**  부사는 **동사, 형용사, 다른 부사, 또는 문장 전체를 꾸미는 말**로, 문장에서 **수식어로 쓸 수 있어요.**

Amy plays the piano well. Amy는 피아노를 잘 연주한다.

The coffee is too hot. 그 커피는 너무 뜨겁다.

You finished your homework very quickly. 너는 너의 숙제를 매우 빠르게 끝냈다.

✏️ **쓰기가 쉬워지는 TIP**
우리말에서 형용사에 '-이', '-히'를 붙여 부사를 만드는 것처럼 영어에서도 형용사에 -ly를 붙여 부사를 만들어요. 하지만 영어는 명사에 -ly를 붙여 형용사를 만들 수도 있으니 주의하세요. (→ 형용사와 부사의 형태 변화 p.146)

**❻ 전치사**  전치사는 명사나 대명사 앞에서 **시간, 장소, 방법 등을 나타낼 때 써요.**

I will visit my grandmother on Saturday. 나는 토요일에 나의 할머니를 방문할 것이다.

We arrived at the bus stop. 우리는 버스 정류장에 도착했다.

He cut the cake with a knife. 그는 칼로 케이크를 잘랐다.

✏️ **쓰기가 쉬워지는 TIP**
시간/장소 등을 나타낼 때 우리말은 조사 '~에/에서'가 똑같이 붙는 것과 달리 영어에서는 쓰임에 따라 형태가 다른 전치사를 쓰는 것에 주의하세요. (→ Chapter 11 전치사 p.121)
우리 세 시<u>에</u> / 토요일<u>에</u> / 1월<u>에</u> 만나자.
Let's meet <u>at</u> 3 o'clock / <u>on</u> Saturday / <u>in</u> January.

**❼ 접속사**  접속사는 **단어와 단어, 구와 구, 절과 절을 연결할 때 써요.**

They have a dog and a cat. 그들은 개 한 마리와 고양이 한 마리를 기른다.

James reads books or plays soccer after school. James는 방과 후에 책을 읽거나 축구를 한다.

If it snows tomorrow, I'll stay home. 만약 내일 눈이 온다면, 나는 집에 머물 것이다.

✏️ **쓰기가 쉬워지는 TIP**
우리말은 주로 명사에 조사를 붙이거나 동사나 형용사의 어미를 바꿔 말과 말을 연결하지만, 영어에서는 상황과 의미에 적절한 접속사를 쓰는 것에 주의하세요. (→ Chapter 12 접속사 p.131)
나는 독일<u>이나</u> 프랑스로 여행을 갈 것이다.
I'll travel to Germany <u>or</u> France.

**❽ 감탄사**  감탄사는 기쁨, 놀람, 슬픔과 같은 **다양한 감정을 표현하는 말이에요.**

Wow, his voice sounds amazing! 와, 그의 목소리는 놀랍게 들려!

# 2 문장의 성분 | 영어 문장을 만드는 재료

영어에는 문장을 만드는 재료로 **주어, 동사, 목적어, 보어, 수식어**가 있고, 이를 **문장의 성분**이라고 해요.

**❶ 주어**

주어는 **동작이나 상태의 주체**가 되는 말로, '**누가, 무엇이**'에 해당해요.

**Nick** wants to go to bed. <u>Nick은</u> 자러 자기를 원한다.

**❷ 동사**

동사는 **주어의 동작이나 상태**를 나타내는 말로, '**~하다, ~이다**'에 해당해요.

I **received** many gifts from friends. 나는 친구들에게 많은 선물을 <u>받았다</u>.

✏️ **쓰기가 쉬워지는 TIP**

우리말은 동사를 문장의 끝에 써요. 하지만 영어에서는 주로 주어 뒤에 써야 하고 반드시 문장의 끝에 오지 않을 수도 있어요.

**❸ 목적어**

목적어는 **동작의 대상**이 되는 말로, '**무엇을**'에 해당해요.

She cleaned **her room**. 그녀는 <u>그녀의 방을</u> 청소했다.
Dad gave **me a cup of water**. 아빠는 <u>나에게 물 한 잔을</u> 주셨다.

**❹ 보어**

보어는 **주어나 목적어를 보충 설명**하는 말로, 주어나 목적어의 성질, 특성, 상태 등을 나타내요.

The hat looked **small**. <주격 보어> 그 모자는 <u>작아</u> 보였다.
The movie made me **sad**. <목적격 보어> 그 영화는 나를 <u>슬프게</u> 만들었다.

✏️ **쓰기가 쉬워지는 TIP**

우리말의 보어는 조사 '이/가'가 붙어 '-되다/아니다' 앞에 나오는 말이지만, 영어에서는 주로 동사 뒤나 목적어 뒤에 써야 해요.
소미는 <u>**선생님**</u>이 되었다.
Somi became <u>**a teacher**</u>.

**❺ 수식어**

수식어는 문장에서 반드시 필요하지는 않지만 다양한 위치에서 **문장에 여러 의미를 더해주는 역할**을 해요.

The **white** car is my mom's. 그 <u>하얀</u> 자동차는 나의 엄마의 것이다.
Paul and I studied **in the library**. Paul과 나는 <u>도서관에서</u> 공부했다.

영어 문장은 크게 다음의 **다섯 가지 형식**으로 나눌 수 있어요.

**1형식:** 주어 + 동사

**2형식:** 주어 + 동사 + 주격 보어

**3형식:** 주어 + 동사 + 목적어

**4형식:** 주어 + 동사 + 간접 목적어 + 직접 목적어

**5형식:** 주어 + 동사 + 목적어 + 목적격 보어

**① 1형식**   **1형식**은 **주어와 동사**만으로도 의미가 통하는 문장이에요. **수식어**가 함께 쓰이기도 해요.

<u>Sofia</u> <u>smiled</u>. Sofia는 미소 지었다.
　주어　　동사

<u>He</u> <u>is eating</u> <u>at the café</u>. 그는 카페에서 식사하고 있다.
주어　　동사　　　수식어구

**② 2형식**   **2형식**은 **주어, 동사**와 주어를 보충 설명하는 **주격 보어**를 가지는 문장이에요. **주격 보어 자리**에는 **명사**나 **형용사**를 쓸 수 있어요.

<u>Eric</u> <u>became</u> <u>a middle school student</u>. Eric은 중학생이 되었다.
주어　　동사　　　　　　주격 보어(명사)

<u>This pasta</u> <u>tastes</u> <u>good</u>. 이 파스타는 좋은 맛이 난다.
　　주어　　　동사　　주격 보어(형용사)

**③ 3형식**   **3형식**은 **주어, 동사**와 동작의 대상이 되는 **목적어**를 가지는 문장이다. **목적어 자리**에는 **(대)명사**를 쓸 수 있어요.

<u>Mr. Smith</u> <u>painted</u> <u>the wall</u>. Smith씨는 벽을 페인트칠 했다.
　주어　　　동사　　목적어(명사)

<u>She</u> <u>called</u> <u>me</u> last night. 그녀는 어젯밤에 나에게 전화했다.
주어　　동사　목적어(대명사)

✏️ **쓰기가 쉬워지는 TIP**

우리말은 조사를 사용하여 문장의 어순을 자유롭게 쓸 수 있지만, 영어는 단어의 위치에 따라 역할이 바뀌니 어순을 지켜 써야 해요.

The dog ate my sandwich. 내 샌드위치를 그 개가 먹었다. (O)
My sandwich ate the dog. 내 샌드위치가 그 개를 먹었다. (X)

❹ **4형식**　4형식은 주어, 동사와 **간접 목적어**, **직접 목적어**를 가지는 문장이에요. 4형식 문장은 「주어 + 동사 + 직접 목적어 + 전치사(to/for/of) + 간접목적어」 형태의 3형식 문장으로 바꿔 쓸 수 있어요.

Sam lent Elizabeth an umbrella.　→　Sam lent an umbrella to Elizabeth.
　주어　　동사　간접 목적어　　직접 목적어　　　　　　　주어　　동사　　　직접 목적어　　전치사　간접 목적어
Sam은 Elizabeth에게 우산을 빌려줬다.

Ms. Brown bought her daughter a necklace.　→　Ms. Brown bought a necklace for her daughter.
　주어　　　동사　　간접 목적어　　직접 목적어　　　　　　　주어　　　　동사　　　직접 목적어　　전치사　간접 목적어
Brown씨는 그녀의 딸에게 목걸이를 사줬다.

✏️ **쓰기가 쉬워지는 TIP**

우리말은 간접/직접 목적어의 어순이 바뀌어도 자연스럽지만, 영어의 4형식 문장에서는 정해진 어순으로 쓰지 않으면 의미가 어색해 질 수 있으니 주의하세요.

My mom baked me cookies. 나의 엄마는 나에게 쿠키를 구워줬다. (O)
My mom baked some cookies me. 나의 엄마는 쿠키에게 나를 구워줬다. (X)

❺ **5형식**　5형식은 주어, 동사, 목적어와 목적어를 보충 설명하는 **목적격 보어**를 가지는 문장이에요. **목적격 보어 자리**에는 동사에 따라 **명사**, **형용사**를 쓸 수 있어요. 명사 역할을 하는 **to부정사**나 **동사원형**, 형용사 역할을 하는 **분사**를 쓰기도 해요.

**명사**　　　They call their dog Milo. 그들은 그들의 개를 Milo라고 부른다.
　　　　　　　주어　동사　목적어　목적격 보어

**형용사**　　She found the comic book funny. 그녀는 그 만화책이 재미있다고 생각했다.
　　　　　　　주어　동사　　목적어　　목적격 보어

**to부정사**　Mom told my little sister to sleep. 엄마는 나의 여동생에게 자라고 말하셨다.
　　　　　　　주어　동사　　목적어　　　목적격 보어

**동사원형**　The movie made the audience cry. 그 영화는 관객을 울게 했다.
　　　　　　　주어　　　동사　　목적어　　목적격 보어

**분사**　　　Jessica had her bike fixed. Jessica는 그녀의 자전거를 수리되게 했다.
　　　　　　　주어　동사　목적어　목적격 보어

✏️ **쓰기가 쉬워지는 TIP**

5형식 문장의 목적격 보어 자리에 형용사가 오면 우리말로는 '(목적어를) ~하게 –하다' 라는 의미로 해석되어 부사를 써야 할 것 같지만 보어 자리에 부사는 쓸 수 없으니 주의하세요.

The mud made my shoes dirty. (O)
The mud made my shoes dirtily. (X)

# 4 구와 절 | 말 덩어리

두 개 이상의 단어가 모여 하나의 의미를 나타내는 말 덩어리를 **구**나 **절**이라고 해요. **구**는 「주어 + 동사」를 포함하지 않고 **절**은 「주어 + 동사」를 포함해요. 구와 절은 문장에서 **명사, 형용사, 부사 역할**을 할 수 있어요.

**❶ 명사 역할**  명사 역할을 하는 명사구와 명사절은 문장 안에서 명사처럼 **주어, 목적어, 보어**로 쓰여요.

**명사구**  **The tourists from Japan** will gather in the square. <주어>
일본에서 온 관광객들은 광장에서 모일 것이다.

**명사절**  I think **that you need to take a taxi**. <목적어>  나는 네가 택시를 탈 필요가 있다고 생각한다.

**❷ 형용사 역할**  형용사 역할을 하는 형용사구와 형용사절은 형용사처럼 **(대)명사**를 꾸며요.

**형용사구**  The bag **on the sofa** belongs to me.  소파 위에 있는 가방은 나의 것이다.

**형용사절**  This is the book **which Susan recommended**.  이것은 Susan이 추천했던 책이다.

**❸ 부사 역할**  부사 역할을 하는 부사구와 부사절은 부사처럼 **동사, 형용사, 다른 부사, 또는 문장 전체**를 꾸며요.

**부사구**  They went to the park **to take a walk**.  그들은 산책을 하기 위해 공원에 갔다.

**부사절**  He was late for school **because he woke up late**.  그는 늦게 일어났기 때문에 학교에 지각했다.

해커스북 <sup>중·고등</sup>
www.HackersBook.com

# CHAPTER

# 01

# <u>be동사</u>

**기출문제 풀고 짝문제로 마무리!**

우리말과 같도록 빈칸에 알맞은 be동사를 쓰시오.

'지금 ~이다'라는 의미이므로 현재형을 쓰는 것이 알맞으며, 주어가 They이므로 are를 쓴다.

그들은 지금 15살이다.

**They _____ 15 years old now.**

정답: are

주어의 현재 상태(~이다, ~(하)다)나 현재 위치(~(에) 있다)를 나타낼 때 be동사의 현재형을 쓰며, be동사는 주어의 인칭과 수에 따라 형태가 달라진다.

| 주어(인칭대명사) | be동사의 현재형 | 줄임말 |
|---|---|---|
| 1인칭 단수(I) | **am** | I'm |
| 3인칭 단수(she/he/it) | **is** | she's/he's/it's |
| 1·3인칭 복수(we/they)<br>2인칭 단·복수(you) | **are** | we're/they're<br>you're |

**TIP** 주어가 「A and B」 형태이면 be동사의 현재형은 are를 쓴다.

**[1-5] 주어진 문장을 괄호 안의 지시대로 바꿔 쓰시오.**

1   He is brave. (you를 주어로)   →  _____

2   The cat is under the bed. (they를 주어로)   →  _____

3   Ava is a swimmer. (I를 주어로)   →  _____

4   You are smart. (she를 주어로)   →  _____

5   Matt is from Canada. (we를 주어로)   →  _____

**[6-12] 우리말과 같도록 괄호 안의 말을 활용하여 문장을 완성하시오.**

6   나는 학생이다. (a student)

=  _____

7   그 강아지들은 소파 위에 있다. (the dogs, on the sofa)

=  _____

8   그것은 그녀의 인형이다. (it, her doll)

=  _____

9   초콜릿은 달콤하다. (chocolate, sweet)

=  _____

10   Justin과 그의 남동생은 부엌에 있다. (in the kitchen)

= Justin and his brother _____ .

11   나의 엄마는 선생님이시다. (my mother, a teacher)

=  _____

12   우리는 교회에 있다. (at the church)

=  _____

## ● POINT2 be동사의 과거형

우리말과 같도록 빈칸에 알맞은 be동사를 쓰시오.

그녀는 어젯밤에 도서관에 있었다.

**She _____ at the library last night.**

'어젯밤에 ~에 있었다'라는 의미이므로 과거형을 쓰는 것이 알맞으며, 주어가 She이므로 was를 쓴다.

정답: was

주어의 과거 상태(~이었다, ~(했)다)나 과거 위치(~(에) 있었다)를 나타낼 때 be동사의 과거형을 쓰며, be동사는 주어의 인칭과 수에 따라 형태가 달라진다.

| 주어(인칭대명사) | be동사의 과거형 |
|---|---|
| 1인칭 단수(I) | **was** |
| 3인칭 단수(she/he/it) | **was** |
| 1·3인칭 복수(we/they)<br>2인칭 단·복수(you) | **were** |

**TIP** 주어가 「A and B」 형태이면 be동사의 과거형은 were를 쓴다.

### [1-5] 주어진 문장을 괄호 안의 지시대로 바꿔 쓰시오.

1 The kids were in the classroom. (I를 주어로)  → _____

2 Janghoon was busy this morning. (they를 주어로)  → _____

3 She was really happy. (we를 주어로)  → _____

4 The pencils were in the drawer. (it을 주어로)  → _____

5 He was a middle school student last year. (you를 주어로)  → _____

### [6-12] 우리말과 같도록 괄호 안의 말을 활용하여 문장을 완성하시오.

6 그 뮤지컬은 굉장했다. (the musical, amazing)

= _____

7 그 새들은 둥지에 있었다. (the birds, in the nest)

= _____

8 Tina는 학교에 늦었다. (late for school)

= _____

9 나의 여동생과 나는 한 시간 전에 집에 있었다. (at home)

= My sister and I _____ an hour ago.

10 어제는 나의 생일이었다. (yesterday, my birthday)

= _____

11 그는 매우 피곤했다. (very tired)

= _____

12 나의 부모님은 지난주에 중국에 계셨다. (my parents, in China)

= _____ last week.

다음 문장을 부정문으로 바꿔 쓰시오.

**The movie was boring.**

→ **The movie _____ boring.**

be동사의 부정문은 be동사 뒤에 not을 붙여서 나타내므로 was not[wasn't]으로 쓴다.

정답: was not[wasn't]
해석: 그 영화는 지루했다.
　　　→ 그 영화는 지루하지 않았다.

| 주어(인칭대명사) | be동사 + not | 현재형의 줄임말 | 과거형의 줄임말 |
|---|---|---|---|
| I | am/was not | I'm not | I wasn't |
| she/he/it | is/was not | she's/he's/it's not<br>she/he/it isn't | she/he/it wasn't |
| we/they/you | are/were not | we're/they're/you're not<br>we/they/you aren't | we/they/you weren't |

**[1–5] 주어진 문장을 부정문으로 바꿔 쓰시오. (단, 줄임말을 쓸 것)**

1  You are my classmate.　　　→ _____

2  That apple is fresh.　　　→ _____

3  They were in Korea last month.　　　→ _____

4  I am at school now.　　　→ _____

5  The hamburger was delicious.　　　→ _____

**[6–12] 우리말과 같도록 괄호 안의 말을 활용하여 문장을 완성하시오. (단, 줄임말을 쓸 것)**

6  그녀는 가수가 아니다. (a singer)

= _____

7  그 웹사이트들은 유용하지 않았다. (the websites, useful)

= _____

8  하늘이 맑지 않았다. (the sky, clear)

= _____

9  장갑이 나의 가방 안에 없다. (the gloves, in my bag)

= _____

10  그것은 그의 스마트폰이 아니다. (it, his smartphone)

= _____

11  우리는 화난 게 아니다. (upset)

= _____

12  Chris는 내게 친절하지 않았다. (kind)

= _____ to me.

# POINT 4 be동사의 의문문

다음 문장을 의문문으로 바꿔 쓰시오.

**Your parents are bakers.**

→ _____ **bakers?**

be동사의 의문문은 be동사를 주어 앞에 써서 나타내므로 Are your parents ~?로 쓴다.

정답: Are your parents
해석: 너의 부모님은 제빵사이시다.
　　→ 너의 부모님은 제빵사이시니?

- 현재형: Am/Is/Are + 주어 ~?　- Yes, 주어 + am/is/are.　- No, 주어 + am not/isn't/aren't.
- 과거형: Was/Were + 주어 ~?　- Yes, 주어 + was/were.　- No, 주어 + wasn't/weren't.

**TIP** 의문문에 답변할 때 주어의 변화, 즉 의문문의 주어를 문맥에 맞는 인칭대명사로 바꿔 쓰는 것에 주의한다.
　　　A: Am **I** late? 내가 늦었니?　B: Yes, **you** are. 응, 너 늦었어.

## [1-6] 주어진 문장을 의문문으로 바꿔 쓰시오.

1  He was sick yesterday.　　　　　　　　　→ _____

2  They are in the park now.　　　　　　　　→ _____

3  It is his birthday gift.　　　　　　　　　　→ _____

4  The cats were under the desk.　　　　　→ _____

5  Her hair color is red.　　　　　　　　　　→ _____

6  You and your friend were in your room.　→ _____

## [7-13] 질문에 알맞은 답변을 써서 대화를 완성하시오.

7  A: Is he your brother?

　　B: No, _____ _____.

8  A: Are you a soccer player?

　　B: Yes, _____ _____.

9  A: Is the Eiffel Tower in Paris?

　　B: Yes, _____ _____.

10  A: Was the girl at the theater?

　　B: Yes, _____ _____.

11  A: Were Jiwoo and I too noisy?

　　B: No, _____ _____.

12  A: Am I wrong?

　　B: No, _____ _____.

13  A: Were the students in the pool?

　　B: Yes, _____ _____.

기출문제를 풀고 정답과 해설을 확인하세요. 짝문제를 풀면서 복습하고, 틀린 문제는 다시 틀리지 않도록 꼼꼼히 점검하세요.

## 틀린 부분 고쳐 쓰기

다음 문장에서 어법상 틀린 부분을 바르게 고쳐 완전한 문장을 쓰시오.

| 기출문제 풀고 | 짝문제로 마무리 |
|---|---|

**01** Was funny the show?

→ _____

**02** Yuna are absent yesterday.

→ _____

**03** Their family name are Johnson.

→ _____

**04** I amn't from England.

→ _____

**05** Ron and I am at the bus stop now.

→ _____

**06** Was you alone in your house last Sunday?

→ _____

**07** Is sweet the cracker?

→ _____

**08** The stars is bright last night.

→ _____

**09** Their homeroom teacher are a woman.

→ _____

**10** I amn't happy now.

→ _____

**11** Sojung and Soyeon is my sisters.

→ _____

**12** Were your father a pilot before?

→ _____

기출문제를 풀었으면 채점한 후, 짝문제를 푸세요. ▶

## 주어진 단어 활용하여 영작하기
우리말과 같도록 괄호 안의 말을 활용하여 문장을 완성하시오.

| 기출문제 풀고 | 짝문제로 마무리 |
| --- | --- |

**13** 그것은 흥미로운 책이었다.
(it, an interesting book)

= _____

**14** 접시들은 보관장 안에 있다.
(the plates, in the cabinet)

= _____

**15** 어제가 국경일이었니?
(yesterday, a national holiday)

= _____

**16** 저 산은 매우 높지 않다.
(that mountain, very high)

= _____

**17** 그 바지는 너에게 꽉 끼니?
(the pants, tight)

= _____ on you?

**18** 그 시험들은 어렵지 않았다.
(the tests, difficult)

= _____

**19** 우리는 합창단의 일원들이었다.
(members)

= _____ of the choir.

**20** 나의 삼촌은 의사시다.
(my uncle, a doctor)

= _____

**21** 그 곰들이 도로에 있었니?
(the bears, on the road)

= _____

**22** 그 선글라스는 저렴하지 않다.
(the sunglasses, cheap)

= _____

**23** 그 배우는 한국에서 유명하니?
(the actor, famous)

= _____ in Korea?

**24** Tim은 체육관에 없었다.
(at the gym)

= _____

## 기출문제 풀고

**25**

He _____ in the theater.
The movie _____ sad.

**26**

The kids _____ at the playground.
Their clothes _____ clean.

**27**

It _____ a rabbit.
Its tail _____ long.

## 짝문제로 마무리

**28**

Anna _____ a photographer.
The table _____ round.

**29**

They _____ from Germany.
Their shirts _____ yellow.

**30**

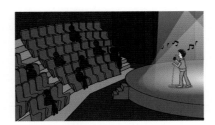

The concert hall _____ full of people.
The singer _____ on the stage.

기출문제를 풀었으면 채점한 후, 짝문제를 푸세요. ▶

## 문장 바꿔 쓰기
다음 문장을 부정문과 의문문으로 바꿔 쓰시오.

### 기출문제 풀고

**31** They were on the same team.

[부정문]
→ _____

[의문문]
→ _____

**32** Ben and Jane are neighbors.

[부정문]
→ _____

[의문문]
→ _____

### 짝문제로 마무리

**33** Alex was surprised.

[부정문]
→ _____

[의문문]
→ _____

**34** He and she are good friends.

[부정문]
→ _____

[의문문]
→ _____

기출문제를 풀었으면 채점한 후, 짝문제를 푸세요. ▶

## 질문에 알맞은 답변 쓰기
질문에 알맞은 답변을 써서 대화를 완성하시오.

### 기출문제 풀고

**35** A: Was the sandwich delicious?
B: Yes, _____ _____.

**36** A: Is Ms. Murphy at the museum?
B: Yes, _____ _____.

**37** A: Were you and your sister busy?
B: No, _____ _____.

**38** A: Are the cookies ready?
B: No, _____ _____.

### 짝문제로 마무리

**39** A: Were we friendly and helpful?
B: Yes, _____ _____.

**40** A: Are Leo and Lucy your grandparents?
B: Yes, _____ _____.

**41** A: Was the boy six years old last year?
B: No, _____ _____.

**42** A: Is your hobby cooking?
B: No, _____ _____.

기출문제를 풀었으면 채점한 후, 짝문제를 푸세요. ▶

## 빈칸 완성하기
다음 빈칸에 be동사의 알맞은 형태를 쓰시오.

| 기출문제 풀고 |
| --- |

**43** A: My birthday _____ last Saturday.

B: _____ you happy that day?

**44** <sup>고난도</sup> I _____ at the bank three hours ago. I _____ at the shopping mall now.

| 짝문제로 마무리 |
| --- |

**45** A: Nick and Jim _____ late for school yesterday.

B: _____ their teacher angry?

**46** <sup>고난도</sup> The weather _____ cloudy last week. But the weather _____ sunny now.

기출문제를 풀었으면 채점한 후, 짝문제를 푸세요. ▶

## 표 보고 영작하기
다음 표의 정보가 모두 포함될 수 있도록 괄호 안의 말을 활용하여 문장을 완성하시오.

| 기출문제 풀고 |
| --- |

| 이름 | Kate | 나이 | 14살 |
| --- | --- | --- | --- |
| 학년 | 중학교 1학년 | 외모 | 키가 크지 않음 |

Let me introduce my friend.

**47** _____ Kate.
(her name)

**48** She _____ .
(years old)

**49** She _____ last year. (an elementary school student)

**50** She _____ .
(tall)

| 짝문제로 마무리 |
| --- |

| 고향 | 샌프란시스코 | 현재 직업 | 음악가 |
| --- | --- | --- | --- |
| 과거 직업 | 운동선수 | 성격 | 수줍음을 많이 안 탐 |

This is my brother Peter.

**51** _____ San Francisco.
(his hometown)

**52** He _____ .
(a musician)

**53** He _____ before.
(an athlete)

**54** He _____ .
(shy)

기출문제를 풀었으면 채점한 후, 짝문제를 푸세요. ▶

# CHAPTER

# 02

# 일반동사

**기출문제 풀고 짝문제로 마무리!**

우리말과 같도록 괄호 안의 말을 알맞은 형태로 바꿔 빈칸에 쓰시오.

그녀는 매일 운동한다. (exercise)

## She _____ every day.

'매일 ~한다'라는 의미이므로 반복되는 일을 나타내는 현재형을 쓰는 것이 알맞으며, 주어가 3인칭 단수이므로 -s를 붙여 exercises로 쓴다.

정답: exercises

현재의 사실이나 반복되는 일을 나타낼 때 일반동사의 현재형을 쓴다. 주어가 1·2인칭이나 3인칭 복수이면 동사원형을 쓰고, 3인칭 단수이면 동사원형에 -(e)s를 붙여 쓴다.

| + -s | speak**s**    know**s** |
|---|---|
| -o, -s, -x, -ch, -sh + -es | go - go**es**    miss - miss**es**    mix - mix**es**    teach - teach**es**    wash - wash**es** |
| 「자음 + y」→ y를 i로 바꾸고 + -es | try - tr**ies**    study - stud**ies** |
| 불규칙하게 변하는 동사 | have - **has** |

## [1-5] 주어진 문장을 괄호 안의 지시대로 바꿔 쓰시오.

1  I have two umbrellas. (she를 주어로)          →  _____

2  Monkeys climb trees well. (my cat을 주어로)    →  _____

3  Davis enjoys surfing in summer. (they를 주어로)  →  _____

4  We watch a movie once a month. (the actor를 주어로)  →  _____

5  My grandmother worries about my health. (my mom and dad를 주어로)

→  _____

## [6-12] 우리말과 같도록 괄호 안의 말을 활용하여 문장을 완성하시오.

6  나는 치즈버거를 좋아한다. (like, cheeseburgers)

=  _____

7  비행기는 매우 높이 난다. (an airplane, fly)

=  _____ very high.

8  우리의 피부는 겨울에 쉽게 건조해진다. (our skin, become, dry)

=  _____ easily in winter.

9  너는 열이 있다. (have, a fever)

=  _____

10  나의 여동생은 욕실에서 머리를 말린다. (my sister, dry, her hair)

=  _____ in the bathroom.

11  그는 자기 전에 이를 닦는다. (brush, his teeth)

=  _____ before bed.

12  Emma는 주말에 요가를 한다. (do, yoga)

=  _____ on weekends.

## ● POINT 2 일반동사의 과거형

우리말과 같도록 괄호 안의 말을 알맞은 형태로 바꿔 빈칸에 쓰시오.

나는 어젯밤에 영어 공부를 했다. (study)

I _____ English last night.

'어젯밤에 ~했다'라는 의미이므로 과거형인 studied로 쓴다.

정답: studied

과거의 동작이나 상태를 나타낼 때 일반동사의 과거형을 쓴다. 일반동사의 과거형은 주어의 인칭이나 수에 상관없이 대부분 동사원형에 -(e)d를 붙여 만든다.

| 규칙 변화 | | |
| --- | --- | --- |
| + -ed | open**ed** | help**ed** |
| -e + -d | danc**ed** | liv**ed** |
| 「자음 + y」→ y를 i로 바꾸고 + -ed | worry - worr**ied** | copy - cop**ied** |
| 「단모음 + 단자음」으로 끝날 때 → 마지막 자음을 한 번 더 쓰고 + -ed | stop - stop**ped** | hug - hug**ged** |

| 불규칙 변화 | | |
| --- | --- | --- |
| 현재형과 과거형이 같은 동사 | put - **put** | cut - **cut** |
| | hit - **hit** | read - **read** |
| 현재형과 과거형이 다른 동사 | win - **won** | buy - **bought** |
| | drink - **drank** | meet - **met** |

**[1-5] 주어진 문장을 과거형 문장으로 바꿔 쓰시오.**

1   I drop the basket.                    → _____

2   They order sandwiches.               → _____

3   My family moves to another place.   → _____

4   The baseball player hits the ball.    → _____

5   She meets Ben at the gym.           → _____

**[6-12] 우리말과 같도록 괄호 안의 말을 활용하여 문장을 완성하시오.**

6   Jake와 나는 그 소포들을 날랐다. (carry, the packages)

= Jake and I _____.

7   우리는 지난주에 홍콩에 머물렀다. (stay)

= _____ in Hong Kong last week.

8   Ted는 주스를 마셨다. (drink, juice)

= _____

9   그는 어제 머리를 잘랐다. (cut, his hair)

= _____ yesterday.

10  Rose는 일주일 전에 그녀의 여행을 계획했다. (plan, her trip)

= _____ a week ago.

11  너희 팀이 첫 번째 경기를 이겼다. (your team, win, the first game)

= _____

12  나의 남동생은 오늘 아침에 파스타를 요리했다. (my brother, cook, pasta)

= _____ this morning.

다음 문장을 부정문으로 바꿔 쓰시오.

**Lily has a cell phone.**

→ Lily _____ a cell phone.

주어가 3인칭 단수일 때 일반동사 현재형의 부정문은 「does not[doesn't] + 동사원형」 형태로 쓴다.

정답: does not[doesn't] have
해석: Lily는 휴대 전화를 가지고 있다.
　　→ Lily는 휴대 전화를 가지고 있지 않다.

| 주어 | 현재형 | 과거형 |
|---|---|---|
| 1·2인칭이나 3인칭 복수 | do not[don't] + 동사원형 | did not[didn't] + 동사원형 |
| 3인칭 단수 | does not[doesn't] + 동사원형 | |

**[1-6] 주어진 문장을 부정문으로 바꿔 쓰시오.**

1 I ate pizza for lunch. → _____

2 Andy knows you. → _____

3 Those plants grow fast. → _____

4 She listens to the radio at night. → _____

5 My brother studied hard for the exam. → _____

6 They speak Korean well. → _____

**[7-14] 우리말과 같도록 괄호 안의 말을 활용하여 문장을 완성하시오.**

7 이 로션은 좋은 냄새가 나지 않는다. (this lotion, smell, good)

= _____

8 어젯밤에 비가 오지 않았다. (rain)

= It _____ last night.

9 나의 부모님은 주말에 일하지 않으신다. (my parents, work)

= _____ on weekends.

10 Josie와 Sue는 그 경기에서 최선을 다하지 않았다. (do, their best)

= Josie and Sue _____ in the game.

11 우리는 서울에 살지 않는다. (live)

= _____ in Seoul.

12 Daniel은 가족사진을 찍지 않았다. (take, a family photo)

= _____

13 그는 매일 그의 방을 청소하지 않는다. (clean, his room)

= _____ every day.

14 그 학생들은 학교에 걸어가지 않는다. (the students, walk)

= _____ to school.

다음 문장을 의문문으로 바꿔 쓰시오.

**They made apple juice.**

→ _____ apple juice?

일반동사 과거형의 의문문은 「Did + 주어 + 동사원형 ~?」 형태로 쓴다.

정답: Did they make
해석: 그들은 사과주스를 만들었다.
  → 그들은 사과주스를 만들었니?

- 현재형: Do/Does + 주어 + 동사원형 ~?  - Yes, 주어 + do/does.  - No, 주어 + don't/doesn't.
- 과거형: Did + 주어 + 동사원형 ~?  - Yes, 주어 + did.  - No, 주어 + didn't.

**TIP** 의문문에 답변할 때 주어의 변화, 즉 의문문의 주어를 문맥에 맞는 인칭대명사로 바꿔 쓰는 것에 주의한다.

## [1-7] 주어진 문장을 의문문으로 바꿔 쓰시오.

1  The baby slept all night.  → _____

2  Annie wants dessert now.  → _____

3  Your sister practiced the piano.  → _____

4  They learn Spanish at school.  → _____

5  She rides a bicycle every day.  → _____

6  Carl and Aaron fought yesterday.  → _____

7  Owls have big eyes.  → _____

## [8-14] 질문에 알맞은 답변을 써서 대화를 완성하시오.

8  A: Does that bus stop here?

   B: Yes, _____ _____.

9  A: Did your family travel on Christmas?

   B: No, _____ _____.

10  A: Do Mike and Jack keep a diary?

   B: Yes, _____ _____.

11  A: Does he like spicy food?

   B: No, _____ _____.

12  A: Did you close the window?

   B: Yes, _____ _____.

13  A: Do your brothers go to the gym every morning?

   B: No, _____ _____.

14  A: Did Ms. White call you?

   B: No, _____ _____.

# 기출문제 풀고 짝문제로 마무리!

기출문제를 풀고 정답과 해설을 확인하세요. 짝문제를 풀면서 복습하고, 틀린 문제는 다시 틀리지 않도록 꼼꼼히 점검하세요.

## 틀린 부분 고쳐 쓰기
다음 문장에서 어법상 틀린 부분을 바르게 고쳐 완전한 문장을 쓰시오.

| 기출문제 풀고 | 짝문제로 마무리 |
|---|---|

**01**

Nayeon look happy.
(나연은 행복해 보인다.)

→ _____

**02**

Does Mina and Minji lives in Busan?
(미나와 민지는 부산에 사니?)

→ _____

**03**

Today, I get up late at ten o'clock.
(오늘, 나는 늦게 10시에 일어났다.)

→ _____
_____

**04**

The student wasn't bring his English book.
(그 학생은 그의 영어책을 가져오지 않았다.)

→ _____
_____

**05**

Nick washs his face after breakfast.
(Nick은 아침 식사 후에 세수를 한다.)

→ _____

**06**

We needs a new computer.
(우리는 새 컴퓨터가 필요하다.)

→ _____

**07**

Do the sun rises in the east?
(태양은 동쪽에서 뜨니?)

→ _____

**08**

My brother fall down the stairs yesterday.
(나의 남동생은 어제 계단에서 넘어졌다.)

→ _____

**09**

The guest didn't answers the phone.
(그 손님은 전화를 받지 않았다.)

→ _____
_____

**10**

Lisa always trys her best.
(Lisa는 언제나 최선을 다한다.)

→ _____

기출문제를 풀었으면 채점한 후, 짝문제를 푸세요. ▶

## 문장 바꿔 쓰기

다음 문장 또는 밑줄 친 단어를 괄호 안의 지시대로 바꿔 쓰시오.

| 기출문제 풀고 | 짝문제로 마무리 |

**11**

> They ride their bikes to school. (부정문으로)

→ _____

_____

**12**

> You forgot my birthday. (의문문으로)

→ _____

**13**

> Every Sunday morning, I ⓐgo to the park. In the park, I ⓑwalk around the lake. Then, I ⓒsit on a bench and ⓓenjoy the sunshine.
> (주어 I를 he로 바꿀 때 현재형으로)

↓

> Every Sunday morning, he ⓐ_____ to the park. In the park, he ⓑ_____ around the lake. Then, he ⓒ_____ on a bench and ⓓ_____ the sunshine.

**14**

> Susie ⓐarrives at school at 8:30 A.M. She ⓑhas lunch with friends at 12 P.M. She ⓒcomes home at 4:30 P.M. She ⓓstudies Chinese at 7 P.M.
> (과거형으로)

↓

> Susie ⓐ_____ at school at 8:30 A.M. She ⓑ_____ lunch with friends at 12 P.M. She ⓒ_____ home at 4:30 P.M. She ⓓ_____ Chinese at 7 P.M.

**15**

> The museum opens on Mondays. (부정문으로)

→ _____

_____

**16**

> Alex closed the garage door. (의문문으로)

→ _____

**17**

> My name is Eva. I ⓐteach science at a middle school. I ⓑlove my students. On weekends, I ⓒpractice taekwondo and ⓓdraw pictures.
> (주어 I를 she로 바꿀 때 현재형으로)

↓

> Her name is Eva. She ⓐ_____ science at a middle school. She ⓑ_____ her students. On weekends, she ⓒ_____ taekwondo and ⓓ_____ pictures.

**18**

> After dinner, Jincheol ⓐdoes exercise. His sister ⓑreads a novel in her room. His mom ⓒtakes a shower. His dad ⓓwatches TV in the living room.
> (과거형으로)

↓

> After dinner, Jincheol ⓐ_____ exercise. His sister ⓑ_____ a novel in her room. His mom ⓒ_____ a shower. His dad ⓓ_____ TV in the living room.

CHAPTER 02
일반동사 해커스 쓰기 자신감 Level 1

## 주어진 단어 활용하여 영작하기

우리말과 같도록 괄호 안의 말을 활용하여 문장을 완성하시오.

**19**

Kevin은 고기를 먹지 않는다.
(eat, meat)

= _____

**20**

그 남자는 의자 위에 그의 재킷을 두었다.
(the man, put, his jacket)

= _____
on the chair.

**21**

곰들은 겨울 내내 잠을 자니?
(bears, sleep)

= _____ all winter?

**22**

나의 여동생은 오늘 그녀의 친구들을 만나지
않았다. (my sister, meet, her friends)

= _____
today.

**23**

그는 빨래를 했니?
(do, the laundry)

= _____

**24**

벚꽃들은 봄에 핀다.
(cherry blossoms, bloom)

= _____ in spring.

**25**

나는 커피를 마시지 않는다.
(drink, coffee)

= _____

**26**

우리는 어제 스웨터들을 짰다.
(knit, sweaters)

= _____
yesterday.

**27**

그 슈퍼마켓은 과일을 파니?
(the supermarket, sell, fruit)

= _____

**28**

Max는 우리에게 그의 비밀을 말하지 않았다.
(tell, his secret)

= _____
to us.

**29**

그들은 그들의 숙제를 했니?
(do, their homework)

= _____

**30**

나의 강아지는 매우 빠르게 달린다.
(my dog, run)

= _____ very fast.

기출문제를 풀었으면 채점한 후, 짝문제를 푸세요. ▶

## 빈칸 완성하기
우리말과 같도록 빈칸에 알맞은 말을 써서 대화를 완성하시오.

### 기출문제 풀고

**31** A: _____ Clara _____ the window?
(Clara가 창문을 깼니?)
B: No, she _____. Henry broke the window.
(아니, 그녀는 깨지 않았어. Henry가 창문을 깼어.)

**32** A: _____ your brother use a laptop?
(너의 형은 노트북을 사용하니?)
B: No, he _____.
(아니, 그는 사용하지 않아.)

### 짝문제로 마무리

**33** A: _____ the chickens _____ eggs?
(그 닭들은 알들을 낳았니?)
B: Yes, they _____. They laid five eggs.
(응, 그것들은 낳았어. 그것들은 알 다섯 개를 낳았어.)

**34** A: _____ you and Amy know my address?
(너와 Amy는 나의 주소를 알고 있니?)
B: No, we _____.
(아니, 우리는 알고 있지 않아.)

기출문제를 풀었으면 채점한 후, 짝문제를 푸세요. ▶

## 보기에서 단어 골라 영작하기
<보기>에서 필요한 말을 한 번씩만 골라 형태를 바꿔 각 문장의 빈칸을 채우시오.

### 기출문제 풀고

<보기>
catch　　touch　　learn　　work

**35** My father _____ at an elementary school.
(나의 아빠는 초등학교에서 일하신다.)

**36** The early bird _____ the worm.
(일찍 일어나는 새가 벌레를 잡는다.)

<보기>
write　　make　　speak
be　　send　　wake up

**37** 고난도 Yesterday, I ⓐ_____ at nine o'clock. I ⓑ_____ a letter and ⓒ_____ it to my cousin. After dinner, I ⓓ_____ apple pies. They were delicious.

### 짝문제로 마무리

<보기>
give　　cry　　say　　bake

**38** The bakery _____ bread every morning.
(그 빵집은 매일 아침 빵을 굽는다.)

**39** The baby _____ a lot at night.
(그 아기는 밤에 많이 운다.)

<보기>
buy　　go　　see
climb　　ride　　stay

**40** 고난도 My family ⓐ_____ to Jejudo last weekend. We ⓑ_____ at a hanok guesthouse. We ⓒ_____ a wonderful waterfall and ⓓ_____ Mt. Halla. We had a lot of fun.

기출문제를 풀었으면 채점한 후, 짝문제를 푸세요. ▶

## 그림 보고 영작하기
다음 그림을 보고 그림에 맞게 질문에 대한 답변을 완성하시오.

### 기출문제 풀고

**41**

A: Did the kids eat lunch at 11 A.M.?
B: No, they didn't. _____ lunch at noon.

**42**

A: Does the store sell children's clothes?
B: No, it doesn't. _____ jewelry.

기출문제를 풀었으면 채점한 후, 짝문제를 푸세요. ▶

### 짝문제로 마무리

**43**

A: Did she swim in the sea?
B: No, she didn't. _____ in the pool.

**44**

A: Do you clean your room in the morning?
B: No, I don't. _____ my room in the evening.

## 표 보고 영작하기
다음 표를 보고 표의 내용과 일치하도록 <예시>처럼 문장을 완성하시오.

### 기출문제 풀고

|  | me | Yujin | Dayoung |
|---|---|---|---|
| 좋아요 | dogs | monkeys | dogs |
| 싫어요 | snakes | snakes | cats |

— <예시> —
I like dogs. I don't like snakes.

**45**  Yujin _____ monkeys.
Dayoung _____ cats.

**46**  Dayoung and I _____ dogs.
Yujin and I _____ snakes.

### 짝문제로 마무리

|  | you | Tom | Eric |
|---|---|---|---|
| 하는 운동 | soccer | baseball | soccer |
| 하지 않는 운동 | tennis | tennis | hockey |

— <예시> —
You play soccer. You don't play tennis.

**47**  Tom _____ baseball.
Eric _____ hockey.

**48**  You and Eric _____ soccer.
You and Tom _____ tennis.

기출문제를 풀었으면 채점한 후, 짝문제를 푸세요. ▶

# CHAPTER

# 03

# 시제

**기출문제 풀고 짝문제로 마무리!**

우리말과 같도록 문장을 완성하시오.

Amy는 음악을 듣고 있다.

**Amy _____ to music.**

'~하고 있다'라는 의미는 현재진행시제로 나타내며, 주어가 3인칭 단수이므로 「is + V-ing」 형태로 쓴다.

정답: is listening

---

지금 진행 중인 동작을 나타낼 때는 동사를 「am/is/are + V-ing」 형태로 쓴다.

| + -ing | cook**ing** | play**ing** | |
|---|---|---|---|
| 「자음 + e」 → e를 빼고 + -ing | make - mak**ing** | move - mov**ing** | ※ 예외: be - be**ing** |
| -ie → ie를 y로 바꾸고 + -ing | lie - l**ying** | die - d**ying** | |
| 「단모음 + 단자음」으로 끝날 때<br>→ 마지막 자음을 한 번 더 쓰고 + -ing | sit - sit**ting** | get - get**ting** | |

**TIP** have(가지다), know(알다), want(원하다), need(필요가 있다) 등과 같이 소유나 상태를 나타내는 동사는 진행형으로 쓸 수 없다. (단, have가 '먹다, 시간을 보내다'라는 의미일 때는 진행형으로 쓸 수 있다.)

---

**[1-5] 주어진 문장을 현재진행시제 문장으로 바꿔 쓰시오.**

1    He reads a magazine.              → _____

2    The birds fly high.                 → _____

3    The zebras run fast.                → _____

4    The boy writes a letter.            → _____

5    They clap their hands.            → _____

---

**[6-12] 우리말과 같도록 괄호 안의 말을 활용하여 문장을 완성하시오.**

6    나는 나의 신발끈을 묶고 있다. (tie, my shoelaces)

     = _____

7    Henry는 만화를 그리고 있다. (draw, cartoons)

     = _____

8    한 아이가 색종이를 자르고 있다. (cut, a child, colored paper)

     = _____

9    우리는 쿠키를 굽고 있다. (bake, cookies)

     = _____

10   나의 남동생과 여동생은 침대에서 자고 있다. (sleep)

     = My brother and sister _____ in bed.

11   그녀는 부엌을 청소하고 있다. (clean, the kitchen)

     = _____

12   나의 친구들은 큰 파티를 계획하고 있다. (my friends, a big party, plan)

     = _____

우리말과 같도록 빈칸에 알맞은 말을 써서 문장을 완성하시오.

> 그들은 수영장에서 수영하고 있니?
>
> _____ **they** _____ **in the pool?**

'~하고 있니?'라는 의미이므로 현재진행시제의 의문문 형태로 쓴다. 주어가 3인칭 복수이므로 「Are + 주어 + V-ing ~?」 형태로 써야 한다.

정답: Are / swimming

- 현재진행시제의 부정문: am/is/are + not + V-ing
- 현재진행시제의 의문문과 답변: Am/Is/Are + 주어 + V-ing ~?  - Yes, 주어 + am/is/are.  - No, 주어 + am not/isn't/aren't.

## [1-6] 주어진 문장을 괄호 안의 지시대로 바꿔 쓰시오. (단, 부정문에서는 줄임말을 쓸 것)

**1** He is coming. (의문문으로) → _____

**2** It is raining. (부정문으로) → _____

**3** Three cats are lying on my bed. (의문문으로) → _____

**4** I am talking on the phone. (부정문으로) → _____

**5** The students are playing basketball. (부정문으로) → _____

**6** Tim is taking a walk now. (의문문으로) → _____

## [7-14] 우리말과 같도록 괄호 안의 말을 활용하여 문장을 완성하시오.

**7** 그녀가 민수에게 문자 메시지를 보내고 있니? (send, a text message)

= _____ to Minsu?

**8** 그 선수는 이 호텔에 머물고 있지 않다. (the player, stay)

= _____ at this hotel.

**9** Sue와 Bobby는 노래를 부르고 있지 않다. (sing)

= Sue and Bobby _____.

**10** 너는 영어 공부를 하고 있니? (study, English)

= _____

**11** 나는 지금 요가를 하고 있지 않다. (do, yoga)

= _____ now.

**12** 그들은 영화를 보고 있니? (watch, a movie)

= _____

**13** 그 아이는 그의 엄마를 기다리고 있니? (his mother, the kid, wait for)

= _____

**14** 저 소녀는 웃고 있지 않다. (that girl, smile)

= _____

우리말과 같도록 괄호 안의 말을 활용하여 문장을 완성하시오.

나는 오늘 밤에 축구 경기를 볼 것이다. (watch)

_____ **a soccer game tonight.**

'~할 것이다'라는 의미는 미래시제로 나타내므로 「will[am going to] + 동사원형」 형태로 쓴다.

정답: I will[am going to] watch

앞으로 일어날 일을 나타낼 때는 동사를 「will + 동사원형」 또는 「be going to + 동사원형」 형태로 쓴다. will은 주어의 인칭과 수에 따라 달라지지 않지만, be동사는 주어의 인칭과 수에 일치시켜 현재형으로 써야 한다.

## [1-4] 우리말과 같도록 괄호 안의 말을 알맞게 배열하시오.

1  나의 남동생은 새 자전거를 살 것이다. (buy, will, my brother, a new bicycle)

= _____

2  은정은 곧 기차를 탈 것이다. (going, Eunjung, to, the train, is, take)

= _____ soon.

3  나는 내일 나의 오랜 친구를 만날 것이다. (I, my old friend, will, meet)

= _____ tomorrow.

4  그 아이들은 눈사람을 만들 것이다. (to, the children, make, a snowman, going, are)

= _____

## [5-11] 우리말과 같도록 괄호 안의 말을 활용하여 빈칸에 쓰시오. (미래시제로 표현할 것)

5  그 콘서트는 오후 4시에 시작할 것이다. (the concert, start)

= _____ _____ _____ _____ at 4 P.M.

6  Clark와 나는 글쓰기 동아리에 가입할 것이다. (join, the writing club)

= Clark and I _____ _____ _____ _____.

7  그녀는 좋은 선생님이 될 것이다. (be, a good teacher)

= _____ _____ _____ _____ _____.

8  나는 오늘 저녁에 카레를 요리할 것이다. (cook, curry)

= _____ _____ _____ _____ _____ this evening.

9  그는 오늘 운동을 할 것이다. (exercise)

= _____ _____ _____ _____ today.

10  Jerry는 이번 주 일요일에 교회에 갈 것이다. (go)

= _____ _____ _____ to church this Sunday.

11  그들은 곧 떠날 것이다. (leave)

= _____ _____ _____ _____ soon.

우리말과 같도록 괄호 안의 말을 알맞게 배열하시오.

그는 그 빨간 가방을 사지 않을 것이다. (buy, not, he, will)

_____ **the red bag.**

'~하지 않을 것이다'라는 의미이므로 미래시제의 부정문 형태로 쓴다. will의 부정문은 「will not + 동사원형」 형태로 써야 한다.

정답: He will not buy

- 미래시제의 부정문: will not[won't] + 동사원형 / be동사 + not going to + 동사원형
- 미래시제의 의문문과 답변: Will + 주어 + 동사원형 ~? - Yes, 주어 + will. - No, 주어 + won't.
  be동사 + 주어 + going to + 동사원형 ~? - Yes, 주어 + be동사. - No, 주어 + be동사 + not.

**[1-5] 우리말과 같도록 괄호 안의 말을 알맞게 배열하시오.**

1 너의 가족은 오늘 밤에 외식할 거니? (is, eat out, your family, to, going)

= _____ tonight?

2 그들은 내일 등산하지 않을 것이다. (will, the mountain, they, not, climb)

= _____ tomorrow.

3 Sam과 Carl은 다음 주에 부산을 방문할 거니? (Sam and Carl, going, visit, are, Busan, to)

= _____ next week?

4 나의 아빠는 오늘 세차하지 않으실 것이다. (going, his car, is, wash, to, my dad, not)

= _____ today.

5 Matt는 그 카메라를 사용할 거니? (use, Matt, the camera, will)

= _____

**[6-11] 우리말과 같도록 괄호 안의 말을 활용하여 문장을 완성하시오.**

6 그 버스는 제시간에 도착하지 않을 것이다. (will, the bus, arrive)

= _____ on time.

7 너는 플로리다로 이사 갈 거니? (be going to, move)

= _____ to Florida?

8 나는 오늘 치마를 입지 않을 것이다. (be going to, wear, a skirt)

= _____ today.

9 그녀는 점심으로 피자를 주문할 거니? (will, order, pizza)

= _____ for lunch?

10 나의 사촌들은 나의 생일 파티에 오지 않을 것이다. (be going to, my cousins, come)

= _____ to my birthday party.

11 그는 그의 여행을 취소할 거니? (be going to, cancel, his trip)

= _____

# 기출문제 풀고 짝문제로 마무리!

기출문제를 풀고 정답과 해설을 확인하세요. 짝문제를 풀면서 복습하고, 틀린 문제는 다시 틀리지 않도록 꼼꼼히 점검하세요.

## 문장 바꿔 쓰기
다음 문장을 괄호 안의 지시대로 바꿔 쓰시오.

기출문제 풀고

**01**
The girl sits on the bench.
(현재진행시제로)

→ _____

**02**
My friend and I will take the bus.
(부정문으로)

→ _____
_____

**03**
Daniel washes the dishes.
(be going to를 활용한 미래시제 의문문으로)

→ _____

**04**
He is exercising at the gym.
(부정문으로)

→ _____
_____

**05**
They are going to catch fish tonight.
(부정문으로)

→ _____
_____

짝문제로 마무리

**06**
The eagles fly in the sky.
(현재진행시제로)

→ _____

**07**
My sister will join the school band.
(부정문으로)

→ _____
_____

**08**
You call him.
(be going to를 활용한 미래시제 의문문으로)

→ _____

**09**
The kids are solving math problems.
(부정문으로)

→ _____
_____

**10**
The shop is going to open tomorrow.
(부정문으로)

→ _____
_____

기출문제를 풀었으면 채점한 후, 짝문제를 푸세요. ▶

## 주어진 단어 활용하여 영작하기

우리말과 같도록 괄호 안의 말을 활용하여 영작하시오. (제시된 단어 수에 맞춰 쓸 것)

| 기출문제 풀고 | 짝문제로 마무리 |
|---|---|

**11**
그녀는 그 이메일을 보내지 않을 것이다.
(send, the e-mail) [6단어]

= _____

**17**
David는 이 순간을 잊지 않을 것이다.
(forget, this moment) [6단어]

= _____

**12**
나는 키보드를 찾고 있다.
(look for, a keyboard) [6단어]

= _____

**18**
한 여자가 도로를 건너고 있다.
(a woman, the road, cross) [6단어]

= _____

**13**
그 남자는 나의 컴퓨터를 고칠 것이다.
(fix, my computer, the man) [8단어]

= _____

**19**
우리는 박물관을 방문할 것이다.
(visit, the museum) [7단어]

= _____

**14**
나의 부모님은 지금 TV를 보고 계시지 않다.
(my parents, now, TV, watch) [6단어]

= _____

**20**
Emily는 지금 운전하고 있지 않다.
(drive, now) [4단어]

= _____

**15**
너의 강아지는 햇빛을 즐기고 있니?
(enjoy, your dog, the sunshine) [6단어]

= _____

**21**
너는 즐거운 시간 보내고 있니?
(have, a good time) [6단어]

= _____

**16**
Chris는 악기를 배울 거니?
(learn, a musical instrument) [6단어]

= _____

**22**
그들은 샌드위치를 만들 거니?
(make, sandwiches) [4단어]

= _____

기출문제를 풀었으면 채점한 후, 짝문제를 푸세요. ▶

## 그림 보고 영작하기

다음 그림을 보고 괄호 안의 말을 활용하여 질문에 답하시오.

| 기출문제 풀고 | 짝문제로 마무리 |

**23**

Q: What is the boy doing?

A: _____

　　(take, a photo)

Q: What is the girl doing?

A: _____ for a picture.

　　(pose)

**24**

Q: What are they doing?

A: _____

　　(plant, seeds)

**25**

Q: Do you have plans for the weekend?

A: Yes, I do. _____ _____

_____ _____ _____

in the library. (study)

**26**

Q: What is the man doing?

A: _____

　　(ride, a bike)

Q: What is the woman doing?

A: _____

　　(draw, a landscape)

**27**

Q: What are they doing?

A: _____

　　(jump, rope)

**28**

Q: What are your plans for the weekend?

A: _____ _____ _____

_____ _____ in the studio.

　　(dance)

기출문제를 풀었으면 채점한 후, 짝문제를 푸세요. ▶

## 단어 배열하여 영작하기
괄호 안의 말을 알맞게 배열하시오.

### 기출문제 풀고

29
A: (combing, is, his hair, the child)
B: Yes, he is.

_____

30
(go, is, to, my family, going)

_____

to the zoo.

### 짝문제로 마무리

31
A: (Tony and Luke, the fence, painting, are)
B: Yes, they are.

_____

32
(going, he, to, is, go)

_____

to the hospital.

기출문제를 풀었으면 채점한 후, 짝문제를 푸세요. ▶

## 빈칸 완성하기
우리말과 같도록 빈칸에 알맞은 말을 써서 문장을 완성하시오.

### 기출문제 풀고

33
Cathy는 지금 그녀의 숙제를 하고 있다.

= Cathy _____ _____ her
homework now.

34
Lily는 내일 중요한 시험이 있다. 그래서 그녀는
오늘 컴퓨터 게임을 하지 않을 것이다.

= Lily has an important test tomorrow. So
she _____ _____ computer
games today.

35
너는 내일 초밥을 먹을 거니?

= _____ _____ _____
_____ _____ sushi
tomorrow?

### 짝문제로 마무리

36
그 학생들은 학교 축제를 계획하고 있다.

= The students _____ _____
a school festival.

37
밖이 너무 춥다. 그래서 Jeremy는 오늘 학교에
걸어가지 않을 것이다.

= It's too cold outside. So Jeremy
_____ _____ to school
today.

38
그는 새 바지를 살 거니?

= _____ _____ _____
_____ _____ new pants?

기출문제를 풀었으면 채점한 후, 짝문제를 푸세요. ▶

CHAPTER 03

## 틀린 부분 고쳐 쓰기
다음 글의 밑줄 친 부분을 바르게 고쳐 쓰시오.

### 기출문제 풀고

**39**
This is the library. The students are ⓐread books now. It's really quiet. They ⓑdon't talking.

ⓐ _____ ⓑ _____

**40** 고난도
Last week, we got a new classmate. His name is Matthew. He ⓐis having blue eyes. He and I quickly became close. We will ⓑcooking pasta together this weekend.

ⓐ _____ ⓑ _____

### 짝문제로 마무리

**41**
Minho and Soyeon are ⓐplay yunnori. It is a traditional Korean board game. Minho is good at yunnori. Oh, he ⓑdoesn't winning.

ⓐ _____ ⓑ _____

**42** 고난도
My brother and I are at the flea market. I ⓐam wanting a backpack. Tomorrow, we will ⓑsold things, too. We found many good items around the house.

ⓐ _____ ⓑ _____

기출문제를 풀었으면 채점한 후, 짝문제를 푸세요. ▶

## 표 보고 영작하기
다음 표를 보고 표에 나온 표현을 활용하여 질문에 답하시오.

### 기출문제 풀고

Suhan's schedule

| Monday (Today) | prepare for a presentation |
| Tuesday | see a famous musical |
| Wednesday | jog in the park |

**43** Q: What is Suhan doing today?
A: He _____.

**44** Q: What will Suhan do on Tuesday?
A: He _____.

**45** Q: What will Suhan do on Wednesday?
A: He _____.

### 짝문제로 마무리

Sara's schedule

| 11 A.M. (Now) | wrap the presents |
| 2 P.M. | practice the violin |
| 4 P.M. | clean the house |

**46** Q: What is Sara doing now?
A: She _____.

**47** Q: What will Sara do at 2 P.M.?
A: She _____.

**48** Q: What will Sara do at 4 P.M.?
A: She _____.

기출문제를 풀었으면 채점한 후, 짝문제를 푸세요. ▶

# CHAPTER

# 04

# 조동사

**기출문제 풀고** 짝문제 **로 마무리!**

우리말과 같도록 괄호 안의 말을 알맞게 배열하시오.

나의 여동생은 리코더를 연습해야 한다. (should, the recorder, practice)

**My sister** _____.

조동사 뒤에는 항상 동사원형을 쓴다.

정답: should practice the recorder

- 긍정문: 조동사 + 동사원형
- 부정문: 조동사 + not + 동사원형  * can의 부정형은 can not으로 띄어 쓰지 않으며, 「조동사 + not」은 줄여 쓸 수 있다. (단, may not은 줄여 쓸 수 없다.)
- 의문문: 조동사 + 주어 + 동사원형 ~? - Yes, 주어 + 조동사. - No, 주어 + 조동사 + not.

## [1-4] 주어진 문장을 괄호 안의 지시대로 바꿔 쓰시오.

1  You may go to the bathroom now. (부정문으로) → _____

2  We should invite them. (의문문으로)　　　→ _____

3  Silvia can ride a skateboard. (부정문으로)　→ _____

4  I must clean the floor. (의문문으로)　　　→ _____

## [5-13] 우리말과 같도록 괄호 안의 말을 알맞게 배열하시오.

5  방문객들은 줄을 서서 기다려야 한다. (visitors, wait, must)

= _____ in line.

6  내가 너의 우산을 빌려도 되니? (can, borrow, I, your umbrella)

= _____

7  여러분은 복도에서 뛰면 안 됩니다. (not, you, should, run)

= _____ in the hallway.

8  내가 여기 앉아도 되니? (I, sit, may)

= _____ here?

9  그 환자는 커피를 마시면 안 된다. (drink, not, coffee, the patient, must)

= _____

10  우리는 우리의 친구들에게 친절해야 한다. (kind, be, should, we)

= _____ to our friends.

11  약간의 음식 좀 주문해 주겠니? (some food, you, can, order)

= _____

12  너는 문 옆에 너의 재킷을 걸어도 된다. (you, hang, may, your jacket)

= _____ next to the door.

13  Peter는 그의 안경을 찾을 수 없다. (cannot, his glasses, find, Peter)

= _____

우리말과 같도록 괄호 안의 말을 활용하여 문장을 완성하시오.

나의 남동생은 일본어를 말할 수 있다. (speak)

**My brother _____ Japanese.**

'~할 수 있다'라는 능력을 나타낼 때는 조동사 can을 쓴다.

정답: can speak

'~할 수 있다(능력·가능), ~해도 된다(허가), ~해 주겠니?(요청)'라는 의미를 나타낼 때는 can을 쓴다.
**I can** play the violin. <능력>  나는 바이올린을 연주할 수 있다.
**You can[may]** wear my coat. <허가>  너는 나의 코트를 입어도 된다.  * 허가의 의미를 나타낼 때는 can 대신 may를 쓸 수 있다.
**Can** you help me? <요청>  나를 좀 도와주겠니?

## [1-11] 우리말과 같도록 괄호 안의 말을 활용하여 문장을 완성하시오.

**1** 지효는 물구나무를 설 수 있다. (stand)

= Jihyo _____ on her hands.

**2** 내가 너의 지우개를 빌려도 되니? (borrow, your eraser)

= _____

**3** TV 좀 꺼 주겠니? (turn off, the TV)

= _____

**4** 나는 춤을 잘 못 춘다. (dance)

= _____ well.

**5** 개구리들은 높이 뛸 수 있니? (frogs, jump)

= _____ high?

**6** 내가 너의 여권을 봐도 되니? (see, your passport)

= _____

**7** 너와 민하는 휴식을 취해도 된다. (take, a break)

= You and Minha _____ .

**8** 물고기는 육지에서 살 수 없다. (fish, live)

= _____ on land.

**9** 그 소녀는 자전거를 탈 수 있니? (the girl, a bicycle, ride)

= _____

**10** 문 좀 열어 주겠니? (open, the door)

= _____

**11** 나의 아빠는 이 기계를 수리하실 수 있다. (fix, my father, this machine)

= _____

우리말과 같도록 괄호 안의 말을 활용하여 문장을 완성하시오.

> 우리는 그 규칙들을 따라야 한다. (have, follow)
>
> **We** ＿＿＿＿＿＿＿＿＿＿ **the rules.**

have를 활용해서 '~해야 한다'라는 의무를 나타내야 하므로 조동사 have to를 쓴다.

정답: have to follow

'~해야 한다'라는 의무·필요의 의미를 나타낼 때는 must나 have to를 쓴다. 단, '~하면 안 된다'라는 금지의 의미를 나타낼 때는 must not만 쓸 수 있고 don't have to는 쓸 수 없다. don't have to는 '~할 필요가 없다'라는 불필요의 의미를 나타낸다.
You **must not** pick the flowers in the park. 여러분은 공원에 있는 꽃들을 꺾으면 안 됩니다.
You **don't have to** worry. 너는 걱정할 필요가 없다.  * have to가 쓰인 부정문/의문문: don't[doesn't] have to + 동사원형 / Do[Does] + 주어 + have to + 동사원형~?
**TIP** '~해야 했다'라는 의미로 과거에 대해 말할 때는 had to를 쓴다.

**[1-4] 우리말과 같도록 have to를 활용하여 빈칸에 쓰시오.**

1  우리는 오늘 저녁을 준비할 필요가 없다.

= We ＿＿＿ ＿＿＿ ＿＿＿ prepare dinner today.

2  그 학생들은 계단을 이용해야 했다.

= The students ＿＿＿ ＿＿＿ use the stairs.

3  Jackson은 내일 공항에 가야 한다.

= Jackson ＿＿＿ ＿＿＿ go to the airport tomorrow.

4  내가 도서관을 방문해야 하니?

= ＿＿＿ I ＿＿＿ ＿＿＿ visit the library?

**[5-10] 우리말과 같도록 must 또는 have to와 괄호 안의 말을 활용하여 문장을 완성하시오. (제시된 단어 수에 맞춰 쓸 것)**

5  여러분은 여기에 쓰레기를 버리면 안 됩니다. (throw away, trash) [6단어]

= ＿＿＿ here.

6  나의 여동생과 나는 설거지를 해야 한다. (wash, the dishes) [5단어]

= My sister and I ＿＿＿.

7  너는 이 양식에 서명해야 한다. (sign, this form) [5단어]

= ＿＿＿

8  Emily는 새 교복을 살 필요가 없다. (buy, a new school uniform) [9단어]

= ＿＿＿

9  나는 어제 그 책을 반납해야 했다. (return, the book) [6단어]

= ＿＿＿ yesterday.

10  너는 다시 학교에 늦으면 안 된다. (be, late for school) [7단어]

= ＿＿＿ again.

## POINT 4 충고·조언을 나타내는 should

충고하는 말이 되도록 괄호 안의 말을 활용하여 문장을 완성하시오.

| 너는 규칙적으로 운동해야 한다. (exercise) |
| You _____ regularly. |

'~해야 한다'라는 충고를 나타낼 때는 조동사 should를 쓴다.

정답: should exercise

'~해야 한다, ~하는 게 좋겠다'라는 충고·조언의 의미를 나타낼 때는 should를 쓴다. should는 must나 have to보다는 강제성이 없어 약한 의무를 나타낸다.

She **should** see a doctor. 그녀는 진찰을 받아야 한다.

### [1-11] 우리말과 같도록 should와 <보기>의 표현을 활용하여 문장을 완성하시오.

―― <보기> ――

| go to bed | be quiet | bring a dictionary | drink warm water | take the subway | write your name |
| wake up early | waste time | play computer games | eat too much sugar | lose your wallet | |

1 Erica는 오후 11시 전에 잠자리에 들어야 한다.

= _____ before 11 P.M.

2 내가 지하철을 타야 하니?

= _____

3 너는 컴퓨터 게임을 자주 하면 안 된다.

= _____ very often.

4 Jason은 따뜻한 물을 마셔야 한다.

= _____

5 너는 그 봉투에 너의 이름을 써야 한다.

= _____ on the envelope.

6 우리는 시간을 낭비하면 안 된다.

= _____

7 내가 사전을 가져와야 하니?

= _____

8 우리는 너무 많은 설탕을 먹으면 안 된다.

= _____

9 그녀는 내일 일찍 일어나야 한다.

= _____ tomorrow.

10 너는 너의 지갑을 잃어버리면 안 된다.

= _____

11 우리는 여기서 조용히 해야 하니?

= _____ here?

# 기출문제 풀고 짝문제로 마무리!

기출문제를 풀고 정답과 해설을 확인하세요. 짝문제를 풀면서 복습하고, 틀린 문제는 다시 틀리지 않도록 꼼꼼히 점검하세요.

## 단어 배열하여 영작하기
우리말과 같도록 괄호 안의 말을 알맞게 배열하시오.

| 기출문제 풀고 | 짝문제로 마무리 |
|---|---|

**01**
그녀는 오늘 그녀의 숙제를 해야 한다.
(do, her homework, must, she)

= _____ today.

**07**
나는 영상들을 편집할 수 있다.
(can, I, videos, edit)

= _____

**02**
너는 지금 TV를 보면 안 된다.
(you, TV, not, watch, may)

= _____ now.

**08**
여러분은 이 그림을 만지면 안 됩니다.
(must, this painting, you, touch, not)

= _____

**03**
내가 이메일을 보내야 하니?
(have, an e-mail, do, to, I, send)

= _____

**09**
Kevin은 그의 노트북을 수리해야 하니?
(to, does, his laptop, Kevin, repair, have)

= _____

**04**
아이들은 오븐을 사용하면 안 된다.
(an oven, shouldn't, use, children)

= _____

**10**
Elisa는 이 수학 문제를 풀 수 없다.
(Elisa, solve, this math problem, can't)

= _____

**05**
나의 남동생은 새 운동화를 사야 한다.
(new sneakers, has, buy, to, my brother)

= _____

**11**
그들은 이 상자들을 옮겨야 한다.
(move, to, they, have, these boxes)

= _____

**06**
내가 나의 비밀번호를 변경해야 하니?
(must, my password, change, I)

= _____

**12**
제가 당신의 주문을 받아도 될까요?
(your order, I, may, take)

= _____

기출문제를 풀었으면 채점한 후, 짝문제를 푸세요. ▶

## 주어진 단어 활용하여 영작하기

우리말과 같도록 괄호 안의 말을 활용하여 문장을 완성하시오. 단, 조동사는 둘 중 하나를 선택하여 쓰시오.

### 기출문제 풀고

**13**

3시에 나에게 전화해 주겠니?
(call, me, can/may)

= _____
  at three o'clock?

**14**

너는 에어컨을 켜도 된다.
(turn on, the air conditioner, may/should)

= _____

**15**

우리는 서두를 필요가 없다.
(hurry, must/have to)

= _____

**16**

너는 집에서 쉬어야 한다.
(rest, should/can)

= _____ at home.

**17** 고난도

그 남자는 그의 신분증을 보여 줘야 했다.
(his ID card, show, the man, may/have to)

= _____

**18**

내가 물 좀 마셔도 되니?
(drink, some water, have to/can)

= _____

### 짝문제로 마무리

**19**

나에게 그 공을 다시 던져 주겠니?
(throw, the ball, can/may)

= _____
  back to me?

**20**

너는 그 일을 나중에 해도 된다.
(do, the work, may/should)

= _____ later.

**21**

Niki는 그것을 지불할 필요가 없다.
(pay for, it, must/have to)

= _____

**22**

그는 공부 계획을 세워야 한다.
(make, a study plan, should/can)

= _____

**23** 고난도

그녀는 그녀의 강아지를 씻겨야 했다.
(wash, her puppy, may/have to)

= _____

**24**

내가 너의 방에 들어가도 되니?
(enter, your room, have to/can)

= _____

기출문제를 풀었으면 채점한 후, 짝문제를 푸세요. ▶

## 표 보고 영작하기

다음은 각 학생이 할 수 있는 것과 할 수 없는 것을 나타낸 표이다. 표를 보고 표에 나온 표현을 활용하여 문장 또는 대화를 완성하시오.

기출문제 풀고

**[25-26]**

|  | ride a roller coaster | run fast | swim |
|---|---|---|---|
| Somin | O | X | O |
| Yejin | X | O | X |
| Seojoon | O | O | X |

**25** Somin _____ a roller coaster, but she _____ fast.

**26** Yejin and Seojoon can _____, but they can't _____.

**[27-28]**

|  | play basketball | speak Korean |
|---|---|---|
| Linda | O | X |
| Jane | X | O |

**27** Linda: Jane, _____ _____ _____ Korean?

Jane: Yes, I _____. I'm interested in languages.

**28** Jane: Linda, _____ _____ _____ basketball?

Linda: Yes, I _____.

Jane: Really? I _____ _____ basketball.

Linda: I'll teach you.

짝문제로 마무리

**[29-30]**

|  | sing well | ski | understand Chinese |
|---|---|---|---|
| Heejin | X | O | O |
| Hyosun | O | O | X |
| Jaeyoung | X | O | X |

**29** Heejin _____ Chinese, but she _____ well.

**30** Heejin, Hyosun, and Jaeyoung can _____, but Hyosun and Jaeyoung can't _____.

**[31-32]**

|  | cook pasta | eat spicy food |
|---|---|---|
| Andy | X | O |
| Chris | O | X |

**31** Chris: Andy, _____ _____ _____ spicy food?

Andy: Yes, I _____. I like spicy food.

**32** Andy: Chris, _____ _____ _____ pasta?

Chris: Yes, I _____.

Andy: Wow, that's cool. I _____ _____ pasta.

Chris: I'll cook it for you.

기출문제를 풀었으면 채점한 후, 짝문제를 푸세요. ▶

## 문장 바꿔 쓰기

다음 문장을 괄호 안의 지시대로 바꿔 쓰시오.

### 기출문제 풀고

**33**
> He has to keep Jenny's secret.
> (부정문으로)

→ _____

**34**
> We must wear helmets.
> (과거형으로)

→ _____

### 짝문제로 마무리

**35**
> You have to help me.
> (부정문으로)

→ _____

**36**
> Kale must wait here.
> (과거형으로)

→ _____

기출문제를 풀었으면 채점한 후, 짝문제를 푸세요. ▶

## 보기에서 단어 골라 영작하기

should 또는 shouldn't와 <보기>의 단어를 활용하여 알맞은 규칙을 만드시오. (<보기>의 단어는 한 번씩만 사용할 것)

### 기출문제 풀고

— <보기> —
listen     speak     raise     eat

Welcome to English class! I'd like to tell you about the class rules.

**37** You _____ to music during class.

**38** You _____ your hand before talking.

**39** You _____ food during class.

**40** You _____ in English.

### 짝문제로 마무리

— <보기> —
check     push     take     bring

Welcome to Ocean Swimming Pool! You need to follow these rules.

**41** You _____ anyone into the pool.

**42** You _____ the water's depth before entering.

**43** You _____ glassware into the pool area.

**44** You _____ a shower before entering the pool.

기출문제를 풀었으면 채점한 후, 짝문제를 푸세요. ▶

## 표지판 보고 영작하기
다음 표지판을 보고 must와 괄호 안의 말을 활용하여 문장을 완성하시오.

### 기출문제 풀고

**45**

You _____ here. (park)

**46**

You _____ . (fasten, your seat belt)

### 짝문제로 마무리

**47**

You _____ here. (take, pictures)

**48**

You _____ in the bin. (put, the trash)

기출문제를 풀었으면 채점한 후, 짝문제를 푸세요. ▶

## 조건에 맞게 영작하기
우리말과 같도록 주어진 <조건>에 맞게 문장을 완성하시오.

### 기출문제 풀고

— <조건> —
• 괄호 안의 말을 활용할 것
• 충고의 의미를 지닌 조동사를 사용할 것

**49**
우리는 우리의 부모님들께 거짓말하면 안 된다. (lie)

= _____ to our parents.

**50**
Tony는 다른 취미를 찾아야 한다. (find, another hobby)

= _____

### 짝문제로 마무리

— <조건> —
• 괄호 안의 말을 활용할 것
• 충고의 의미를 지닌 조동사를 사용할 것

**51**
우리는 나쁜 말들을 하면 안 된다. (say, bad words)

= _____

**52**
Ann은 그녀의 책상을 청소해야 한다. (clean, her desk)

= _____

기출문제를 풀었으면 채점한 후, 짝문제를 푸세요. ▶

# CHAPTER

# 05

# 문장의 형식

**기출문제 풀고** 짝문제**로 마무리!**

우리말과 같도록 문장을 완성하시오.

레몬은 신맛이 난다.

**Lemons taste _____.**

감각동사 taste 뒤는 주격 보어 자리로, 형용사를 쓴다.

정답: sour

다음은 주격 보어가 필요한 동사로, 주격 보어 자리에는 형용사나 명사를 쓴다.

- <감각동사> look(~하게 보이다), sound(~하게 들리다), smell(~한 냄새가 나다), taste(~한 맛이 나다), feel(~하게 느끼다) + **형용사**
- be(~이다, ~하다), become(~(해)지다, ~이 되다), turn(~으로 변하다, ~이 되다), get(~이 되다) 등 + **형용사/명사**

**TIP** 감각동사 뒤에 명사를 쓰려면 「감각동사 + like(~처럼, ~ 같은) + 명사」 형태로 써야 한다.

## [1-5] 우리말과 같도록 괄호 안의 말을 알맞게 배열하시오.

1  그녀는 유명한 가수가 되었다. (became, she, a famous singer)

= _____

2  그것은 좋은 생각처럼 들린다. (sounds, that, like, a great idea)

= _____

3  그 수프는 맛있는 냄새가 났다. (the soup, delicious, smelled)

= _____

4  날씨가 추워지고 있다. (cold, getting, the weather, is)

= _____

5  그들은 쌍둥이처럼 보인다. (they, like, twins, look)

= _____

## [6-10] 우리말과 같도록 괄호 안의 말을 활용하여 영작하시오.

6  너의 드레스는 매우 화려하게 보인다. (your dress, very fancy)

= _____

7  그의 이야기는 이상하게 들린다. (his story, strange)

= _____

8  그녀의 손은 벨벳처럼 느껴졌다. (her hands, velvet)

= _____

9  이 찌개는 매운맛이 난다. (this stew, spicy)

= _____

10  두리안은 지독한 냄새가 난다. (a durian, terrible)

= _____

우리말과 같도록 괄호 안의 말을 활용하여 문장을 완성하시오.

**한 선생님은 우리에게 수학을 가르쳐 주신다. (math)**

**Mr. Han teaches** _____.

동사 teach 뒤에 '~에게 …을'에 해당하는 목적어 두 개를 쓸 때는 「간접 목적어(~에게) + 직접 목적어(~을)」 순으로 쓰며, 목적어 자리에 인칭대명사가 올 때는 목적격으로 쓴다.

정답: us math

다음과 같은 동사가 '~에게 …을 (해) 주다'라는 의미로 쓰일 때, 「주어 + 동사 + 간접 목적어(~에게) + 직접 목적어(…을)」 문장을 쓴다.

| give | send | bring | show | teach | cook | tell | write | get | buy | make | pass | lend | find | read | ask |

## [1-5] 우리말과 같도록 괄호 안의 말을 알맞게 배열하시오.

**1** Dave는 Susan에게 그녀의 명찰을 건네주었니? (Dave, her name tag, pass, Susan, did)

= _____

**2** 엄마는 우리에게 그녀의 결혼사진들을 보여 주셨다. (her wedding photos, mom, us, showed)

= _____

**3** 나의 언니는 나에게 오믈렛을 요리해 주고 있다. (is, me, cooking, my sister, an omelet)

= _____

**4** 그는 그의 남동생에게 종이학을 만들어 주었다. (he, a paper crane, made, his brother)

= _____

**5** 내가 너에게 질문 하나 해도 되니? (ask, a question, I, can, you)

= _____

## [6-11] 우리말과 같도록 괄호 안의 말을 활용하여 문장을 완성하시오.

**6** 우리는 그 소년에게 그의 가방을 찾아 주었다. (find, his bag, the boy)

= _____

**7** Frank는 그녀에게 그의 장갑을 빌려주었다. (lend, his gloves)

= _____

**8** 그의 고모는 그에게 쿠키를 주었다. (cookies, his aunt, give)

= _____

**9** 나의 아빠는 매일 밤 나에게 이야기를 읽어 주신다. (read, a story, my dad)

= _____ every night.

**10** 그녀는 Sera에게 약간의 꽃들을 보내 주었다. (send, some flowers)

= _____

**11** 그들은 어버이날에 그들의 부모님들께 편지를 써 드렸다. (write, letters, their parents)

= _____ on Parents' Day.

우리말과 같도록 괄호 안의 말을 활용하여 문장을 완성하시오.

나는 John에게 그 소포를 보냈다. (send, the package)

I ＿＿＿＿＿＿＿＿＿＿＿＿＿＿ **John.**

간접 목적어가 문장 맨 뒤에 왔을 때는 「동사 + 직접 목적어(…을) + 전치사 + 간접 목적어(~에게)」 순으로 써야 한다. 동사 send는 전치사 to를 쓴다.

정답: sent the package to

「주어 + 동사 + 간접 목적어 + 직접 목적어」 문장은 전치사를 이용해서 「주어 + 동사 + 직접 목적어(…을) + 전치사(to/for/of) + 간접 목적어(~에게)」 문장으로 바꿔 쓸 수 있다. 이때 전치사는 동사에 따라 다르게 써야 한다.

| to를 쓰는 동사 | give, send, bring, show, teach, tell, write, pass, lend, read 등 |
| --- | --- |
| for를 쓰는 동사 | cook, get, buy, make, find 등 |
| of를 쓰는 동사 | ask 등 |

**[1-5]** 주어진 문장과 의미가 같도록 알맞은 전치사를 이용하여 문장을 바꿔 쓰시오.

1 The tour guide brought us the food.

→ ＿＿＿＿＿＿＿＿＿＿＿＿＿＿＿＿＿＿＿＿＿＿

2 Eric made his friend a new kite.

→ ＿＿＿＿＿＿＿＿＿＿＿＿＿＿＿＿＿＿＿＿＿＿

3 The babysitter read the children a fairy tale.

→ ＿＿＿＿＿＿＿＿＿＿＿＿＿＿＿＿＿＿＿＿＿＿

4 My sister got her cat water.

→ ＿＿＿＿＿＿＿＿＿＿＿＿＿＿＿＿＿＿＿＿＿＿

5 I will teach you the alphabet.

→ ＿＿＿＿＿＿＿＿＿＿＿＿＿＿＿＿＿＿＿＿＿＿

**[6-10]** 우리말과 같도록 괄호 안의 말을 활용하여 문장을 완성하시오. (반드시 전치사를 이용할 것)

6 그는 그녀에게 그녀의 이름을 물었다. (ask, her name)

= ＿＿＿＿＿＿＿＿＿＿＿＿＿＿＿＿＿＿＿＿

7 Rose는 매년 Vicky에게 생일 케이크를 사 준다. (buy, a birthday cake)

= ＿＿＿＿＿＿＿＿＿＿＿＿＿＿＿＿＿＿ every year.

8 그녀는 그녀의 선생님께 카네이션을 드렸다. (give, her teacher, a carnation)

= ＿＿＿＿＿＿＿＿＿＿＿＿＿＿＿＿＿＿＿＿

9 나에게 소금 좀 건네주겠니? (pass, the salt, can)

= ＿＿＿＿＿＿＿＿＿＿＿＿＿＿＿＿＿＿＿＿

10 나의 아빠는 우리에게 점심을 요리해 주셨다. (lunch, my father, cook)

= ＿＿＿＿＿＿＿＿＿＿＿＿＿＿＿＿＿＿＿＿

우리말과 같도록 문장을 완성하시오.

> 그녀는 나를 행복하게 만든다.
>
> # She makes _____.

동사 make가 '~을 …하게 만들다'라는 의미로 쓰일 때는 동사 뒤에 「목적어(~을) + 목적격 보어(…하게)」를 쓰며, 목적격 보어 자리에는 형용사를 쓴다.

정답: me happy

다음과 같은 동사가 '~을 …이라고[…하게] -하다'라는 의미로 쓰일 때, 「주어 + 동사 + 목적어(~을) + 목적격 보어(…이라고[…하게])」 문장을 쓴다. 이때 목적격 보어 자리에는 형용사나 명사를 쓴다.

- keep, leave, turn + 목적어 + **형용사**
- call, name + 목적어 + **명사**
- think, make, find + 목적어 + **형용사/명사**

## [1-5] 우리말과 같도록 괄호 안의 말을 알맞게 배열하시오.

**1** 우리는 그 문을 연 채로 두었다. (left, the door, we, open)

= _____

**2** 스트레스는 너의 머리를 하얗게 만들 수 있다. (turn, white, can, your hair, stress)

= _____

**3** 그들은 Brad를 천재라고 생각한다. (a genius, think, Brad, they)

= _____

**4** 나는 그 강아지를 Cherry라고 이름 지었다. (the puppy, I, Cherry, named)

= _____

**5** 경찰은 도시를 안전하게 유지한다. (keep, the city, the police, safe)

= _____

## [6-10] 우리말과 같도록 괄호 안의 말을 활용하여 영작하시오. (/로 묶인 단어는 둘 중 하나를 선택하여 쓸 것)

**6** 그녀는 그 시험이 쉽다고 생각했다. (think, the test, easily/easy)

= _____

**7** Teddy의 반 친구들은 그를 천사라고 부른다. (Teddy's classmates, call, an angel/angelic)

= _____

**8** 그 뉴스는 나의 친구들을 화나게 만들었다. (make, the news, my friends, angrily/angry)

= _____

**9** 그들은 그 이야기가 사실이라고 생각했다. (find, the story, true/truly)

= _____

**10** 운동은 우리를 건강하게 유지해 준다. (exercise, keep, healthily/healthy)

= _____

# 기출문제 풀고 짝문제로 마무리!

기출문제를 풀고 정답과 해설을 확인하세요. 짝문제를 풀면서 복습하고, 틀린 문제는 다시 틀리지 않도록 꼼꼼히 점검하세요.

## 단어 배열하여 영작하기
우리말과 같도록 괄호 안의 말을 알맞게 배열하시오.

| 기출문제 풀고 | 짝문제로 마무리 |
|---|---|

**01** 그의 계획은 흥미롭게 들린다.
(interesting, his plan, sounds)

= _____

**07** 그 꽃은 좋은 냄새가 난다.
(smells, good, the flower)

= _____

**02** 그녀는 Joseph에게 콘서트 표를 주었다.
(she, Joseph, a concert ticket, gave)

= _____

**08** 나의 아빠는 나의 여동생에게 팔찌를 사 주셨다.
(my sister, bought, my dad, a bracelet)

= _____

**03** 너는 나를 더 좋은 사람으로 만든다.
(you, me, make, a better person)

= _____

**09** 그들은 그 앱을 Wheels라고 이름 지을 것이다.
(the app, name, will, Wheels, they)

= _____

**04** 저 구름들은 솜사탕처럼 보인다.
(like, cotton candy, look, those clouds)

= _____

**10** 이 막대사탕은 오렌지 같은 맛이 난다.
(this lollipop, like, tastes, an orange)

= _____

**05** Jake는 소방관이 되었다.
(Jake, a firefighter, became)

= _____

**11** 그의 볼이 빨개졌다.
(red, his cheeks, turned)

= _____

**06** 우리는 아기를 혼자 두면 안 된다.
(shouldn't, we, alone, leave, the baby)

= _____

**12** Kate는 그 지도가 틀렸다는 것을 알게 되었다.
(found, wrong, the map, Kate)

= _____

기출문제를 풀었으면 채점한 후, 짝문제를 푸세요. ▶

## 조건에 맞게 영작하기

우리말과 같도록 주어진 <조건>에 맞게 영작하시오.

### 기출문제 풀고

**13** Brian은 Emily에게 약간의 돈을 빌려주었니?

<조건>
• lend, some money를 활용할 것
• 7단어로 쓸 것

= _____

**14** 그 교실은 조용해졌다.

<조건>
• become, the classroom, quiet를 활용하여 4단어로 쓸 것
• 시제에 유의하여 쓸 것

= _____

**15** 그 가면은 무섭게 보인다.

<조건>
• the mask를 활용하여 4단어로 쓸 것
• scary와 scarily 중 선택하여 쓸 것

= _____

**16** 우리는 그 좌석을 비게 두었다.

<조건>
• leave, the seat를 활용하여 5단어로 쓸 것
• empty와 emptily 중 선택하여 쓸 것

= _____

### 짝문제로 마무리

**17** 나에게 수건 좀 가져다주겠니?

<조건>
• can, a towel, bring을 활용할 것
• 7단어로 쓸 것

= _____

**18** 너의 성적은 더 좋아지고 있다.

<조건>
• better, get, your grades를 활용하여 5단어로 쓸 것
• 시제에 유의하여 쓸 것

= _____

**19** 그녀의 목소리는 사랑스럽게 들린다.

<조건>
• her voice를 활용하여 4단어로 쓸 것
• love와 lovely 중 선택하여 쓸 것

= _____

**20** 너무 많은 햇빛은 그 과일을 쓰게 만든다.

<조건>
• the fruit, too much sunlight, turn을 활용하여 7단어로 쓸 것
• bitter와 bitterly 중 선택하여 쓸 것

= _____

CHAPTER 05 문장의 형식 해커스 쓰기 자신감 Level 1

## 그림 보고 영작하기

다음 그림을 보고 <조건>에 맞게 문장을 완성하시오.

| 기출문제 풀고 | 짝문제로 마무리 |
|---|---|

**21**

─── <조건> ───
- [A]와 [B]에서 알맞은 말을 하나씩 골라 쓸 것
  [A] smell, sound   [B] sweet, bad
- 현재형으로 쓸 것
- 주어(The perfume)를 포함해 총 4단어로 쓸 것

The perfume _____ .

**22**

Wendy

─── <조건> ───
- [A]와 [B]에서 알맞은 말을 하나씩 골라 쓸 것
  [A] write, give   [B] a present, a poem
- 과거형으로 쓸 것
- 주어(He)를 포함해 총 5단어로 쓸 것

He _____ .

**23**

─── <조건> ───
- [A]와 [B]에서 알맞은 말을 하나씩 골라 쓸 것
  [A] taste, feel   [B] an airplane, a bird
- 과거형으로 쓸 것
- 주어(I)를 포함해 총 5단어로 쓸 것

I _____ .

**24**

─── <조건> ───
- [A]와 [B]에서 알맞은 말을 하나씩 골라 쓸 것
  [A] smell, feel   [B] hot, cold
- 현재형으로 쓸 것
- 주어(I)와 now를 포함해 총 4단어로 쓸 것

I _____ now.

**25**

Paul

─── <조건> ───
- [A]와 [B]에서 알맞은 말을 하나씩 골라 쓸 것
  [A] read, cook   [B] dinner, a book
- 과거형으로 쓸 것
- 주어(She)를 포함해 총 5단어로 쓸 것

She _____ .

**26**

─── <조건> ───
- [A]와 [B]에서 알맞은 말을 하나씩 골라 쓸 것
  [A] sound, taste   [B] meat, fish
- 과거형으로 쓸 것
- 주어(The mushrooms)를 포함해 총 5단어로 쓸 것

The mushrooms _____ .

**기출문제**를 풀었으면 채점한 후, **짝문제**를 푸세요. ▶

## 틀린 부분 고쳐 쓰기

다음 문장에서 어법상 틀린 부분을 바르게 고쳐 완전한 문장을 쓰시오. (문장의 단어 수는 그대로 유지할 것)

### 기출문제 풀고

**27**
The waiter got napkins us.
(그 종업원은 우리에게 냅킨들을 가져다주었다.)

→ _____

**28**
Linda keeps her room cleanly.
(Linda는 그녀의 방을 깨끗하게 유지한다.)

→ _____

**29**
He found a shoe to the girl.
(그는 그 소녀에게 신발 한 짝을 찾아 주었다.)

→ _____
_____

### 짝문제로 마무리

**30**
I sent many pictures them.
(나는 그들에게 많은 사진들을 보내 주었다.)

→ _____

**31**
Gochujang makes dishes spicily.
(고추장은 음식들을 맵게 만든다.)

→ _____

**32**
She asked some questions to the teacher.
(그녀는 그 선생님께 몇 가지 질문들을 했다.)

→ _____
_____

기출문제를 풀었으면 채점한 후, 짝문제를 푸세요. ▶

## 문장 바꿔 쓰기

다음 주어진 문장과 의미가 같도록 어순을 바꿔 쓰시오.

### 기출문제 풀고

**33**
The athlete will teach taekwondo to children.

→ _____
_____

**34**
Jessica showed the doctor her legs.

→ _____

### 짝문제로 마무리

**35**
My mom cooked Chinese food for my friends.

→ _____
_____

**36**
I will tell you the truth.

→ _____

기출문제를 풀었으면 채점한 후, 짝문제를 푸세요. ▶

## 보기에서 단어 골라 영작하기
다음 빈칸에 알맞은 말을 <보기>에서 골라 쓰시오.

### 기출문제 풀고

— <보기> —
feels　useful　like　smells
sounds　thought　turned

**37** My raincoat still ＿＿＿＿＿ wet.
I have to dry it.

**38** The students ＿＿＿＿＿ the advice
＿＿＿＿＿.

**39** A: Let's go to the movies.
B: That ＿＿＿＿＿ ＿＿＿＿＿ a great
idea!

### 짝문제로 마무리

— <보기> —
heavy　keep　tastes　looks
like　warm　find

**40** I'm swimming in the sea. Seawater
＿＿＿＿＿ salty.

**41** Gloves will ＿＿＿＿＿ your hands
＿＿＿＿＿.

**42** A: Look at that girl! She is wearing a pink
dress.
B: She ＿＿＿＿＿ ＿＿＿＿＿ a
princess.

기출문제를 풀었으면 채점한 후, 짝문제를 푸세요. ▶

## 빈칸 완성하기
우리말과 같도록 빈칸에 알맞은 말을 써서 문장을 완성하시오.

### 기출문제 풀고

**43** 고난도
Ryan은 그의 할머니께 편지를 써 드렸다.

= Ryan ＿＿＿＿＿ a letter ＿＿＿＿＿
his grandmother.

**44** 고난도
나에게 버터 좀 건네주겠니?

= Can you ＿＿＿＿＿ ＿＿＿＿＿ the
＿＿＿＿＿?

**45** 너의 피부는 실크처럼 느껴진다.

= Your skin ＿＿＿＿＿ ＿＿＿＿＿ silk.

### 짝문제로 마무리

**46** 고난도
그녀는 그 아이에게 밥을 사 주었다.

= She ＿＿＿＿＿ a meal ＿＿＿＿＿
the child.

**47** 고난도
그 남자는 그들에게 커피를 만들어 주었다.

= The man ＿＿＿＿＿ ＿＿＿＿＿
＿＿＿＿＿.

**48** 이 샴푸는 딸기 같은 냄새가 난다.

= This shampoo ＿＿＿＿＿ ＿＿＿＿＿
strawberries.

기출문제를 풀었으면 채점한 후, 짝문제를 푸세요. ▶

# CHAPTER

# 06

# 문장의 종류 1

**기출문제 풀고 짝문제로 마무리!**

# ◉ POINT 1 who 의문문

**A: _____ your teacher?**
**B: My teacher is Ms. Lee.**

사람으로 답변했으므로 '누구'인지 묻는 who 의문문을 쓴다. be동사가 있는 의문사 의문문의 형태는 「의문사 + be동사 + 주어 ~?」이다.

정답: Who is
해석: A: 너의 선생님은 누구시니?
　　　B: 나의 선생님은 이 선생님이셔.

사람에 대해 물을 때 who 의문문을 쓰며, '누구를, 누구에게'라는 의미일 때는 whom으로도 쓸 수 있다.
**Who(m) does Owen like?** Owen은 누구를 좋아하니?

**TIP** 의문사가 주어로 쓰일 때는 3인칭 단수 취급한다.
**Who** *is* in my room? 누가 내 방에 있니?

## [1-5] 우리말과 같도록 괄호 안의 말을 활용하여 문장을 완성하시오.

1  너는 운동장에서 누구를 만났니? (meet)

= _____ at the playground?

2  누가 그 해답을 아니? (know, the answer)

= _____

3  그는 누구를 기다리고 있니? (wait for)

= _____

4  너의 가장 친한 친구는 누구니? (your best friend)

= _____

5  누가 나의 아이스크림을 먹었니? (eat, my ice cream)

= _____

## [6-9] 우리말과 같도록 괄호 안의 말과 B의 답변에 쓴 표현을 활용하여 의문문을 완성하시오.

6  A: 저기에 있는 남자는 누구니? (the man)

_____ over there?

B: He is my uncle.

7  A: 내가 그것에 관해 누구에게 연락해야 하니?

_____ about it?

B: You should contact the customer service center.

8  A: 누가 그 수업을 듣고 있니?

_____

B: Mark and Lisa are taking the class.

9  A: 그녀는 누구에게 그 편지를 보냈니?

_____

B: She sent the letter to her cousin.

답변의 밑줄 친 부분에 대해 묻는 의문문을 완성하시오.

> **A:** _____ **at the store?**
> **B: I bought some carrots.**

물건으로 답변했으므로 '무엇'을 샀는지 묻는 what 의문문을 쓴다. 일반동사가 있는 의문사 의문문의 형태는 「의문사 + do/does/did + 주어 + 동사원형 ~?」이다.

정답: What did you buy
해석: A: 너는 그 가게에서 무엇을 샀니?
　　　B: 나는 당근들을 좀 샀어.

- 사물이나 동물, 또는 사람의 직업이나 성격에 대해 물을 때 what 의문문을 쓴다. what은 '무슨, 어떤'이라는 의미의 형용사로 쓰여 명사 앞에서 명사를 꾸밀 수 있다.
  **What** *size* do you wear? 너는 무슨 사이즈를 입니?
- 정해진 범위 안에서의 선택을 물을 때는 which 의문문을 쓴다. which는 '어느, 어떤'이라는 의미의 형용사로 쓰여 명사 앞에서 명사를 꾸밀 수 있다.
  **Which** *country* is larger, Russia or China? 러시아와 중국 중 어느 나라가 더 크니?

**[1-4] 우리말과 같도록 괄호 안의 말을 알맞게 배열하시오.**

**1** 네가 가장 좋아하는 색은 무엇이니? (your favorite color, what, is)

= _____

**2** 너는 무슨 과목을 좋아하니? (what, do, like, you, subject)

= _____

**3** 이 단어의 의미는 무엇이니? (this word, mean, does, what)

= _____

**4** 내가 무엇을 가져와야 하니? (bring, I, what, should)

= _____

**[5-8] 우리말과 같도록 괄호 안의 말과 B의 답변에 쓴 표현을 활용하여 의문문을 완성하시오.**

**5** A: 그가 뭐라고 말했니?

_____

B: He said the test was difficult.

**6** A: 그녀의 이름은 무엇이니?

_____

B: Her name is Mary.

**7** A: 너는 커피와 차 중 어떤 음료를 더 좋아하니? (beverage)

_____, coffee or tea?

B: I prefer coffee.

**8** A: Amy는 어떤 종류의 음식을 요리할 수 있니? (kind of food)

_____

B: She can cook Italian food.

답변의 밑줄 친 부분에 대해 묻는 의문문을 완성하시오.

**A:** _____ get to city hall?
**B:** Go straight, and turn right.

길 안내로 답변했으므로 길을 찾아가는 '방법'을 묻는 how 의문문을 쓴다. 조동사가 있는 의문사 의문문의 형태는 「의문사 + 조동사 + 주어 + 동사원형 ~?」이다.

정답: How can I
해석: A: 시청에 어떻게 갈 수 있나요?
　　　 B: 쭉 가시다가 오른쪽으로 도세요.

방법이나 상태를 물을 때 how 의문문을 쓴다. how는 「How + 형용사/부사(얼마나 ~한/하게) ~?」 형태로 나이/길이/빈도/수량 등의 구체적인 정보를 물을 때도 쓴다.

| How old <나이> | How big <크기> | How tall <높이, 키> | How long <길이, 시간> | How often <빈도> | How far <거리> |
| How many <개수> | How much <양, 가격> | | | | |

\* '얼마나 많은 ~'이라는 의미로 How many/much 뒤에 명사를 쓸 수 있다. many + 복수명사, much + 셀 수 없는 명사

**[1-4] 우리말과 같도록 괄호 안의 말을 알맞게 배열하시오.**

**1** 공항은 여기서 얼마나 머니? (the airport, far, how, is)

= _____ from here?

**2** Susan은 어떻게 그 표를 구했니? (how, get, did, the ticket, Susan)

= _____

**3** 너의 휴가는 어땠니? (was, your vacation, how)

= _____

**4** 나는 어떻게 영어 문법을 공부해야 하니? (I, study, how, should, English grammar)

= _____

**[5-10] 대화 흐름에 맞게 괄호 안의 말과 B의 답변에 쓴 표현을 활용하여 how 의문문을 완성하시오.**

**5** A: _____
B: He takes a walk once a week.

**6** A: (your cat) _____
B: It is a year old.

**7** A: (brother) _____
B: I have one brother.

**8** A: _____ now?
B: I am not feeling well.

**9** A: (Jack) _____ there?
B: He will stay for three days.

**10** A: (the tree) _____
B: It is six meters high.

## POINT 4  when/where/why 의문문

답변의 밑줄 친 부분에 대해 묻는 의문문을 완성하시오.

A: _____ _____ his birthday?
B: It's September 15.

날짜로 답변했으므로 '언제'인지 묻는 when 의문문을 쓴다.

정답: When is
해석: A: 그의 생일은 언제니?
　　　B: 9월 15일이야.

시간이나 날짜를 물을 때는 when 의문문, 장소나 위치를 물을 때는 where 의문문, 이유를 물을 때는 why 의문문을 쓴다.

**[1-5] 우리말과 같도록 괄호 안의 말을 활용하여 문장을 완성하시오.**

1  그 강아지들은 어디에 있었니? (the puppies)

=  _____

2  저 아이들은 왜 뛰고 있니? (those kids, run)

=  _____

3  너는 내일 어디 갈 거니? (will, go)

=  _____ tomorrow?

4  그 가게는 언제 문을 여니? (the shop, open)

=  _____

5  그는 왜 그의 마음을 바꿨니? (change, his mind)

=  _____

**[6-11] 대화 흐름에 맞게 괄호 안의 말과 B의 답변에 쓴 표현을 활용하여 when/where/why 의문문을 완성하시오.**

6  A: (angry) _____ yesterday?

B: Because she lost her wallet.

7  A: (the first bus) _____

B: It leaves at 6 A.M.

8  A: (your grandparents) _____

B: They live in Canada.

9  A: (I, can, my photos, pick up) _____

B: Next Monday.

10  A: _____

B: He put his jacket in the closet.

11  A: (stand) _____ outside?

B: Because I am getting some fresh air.

# 기출문제 풀고 짝문제로 마무리!

기출문제를 풀고 정답과 해설을 확인하세요. 짝문제를 풀면서 복습하고, 틀린 문제는 다시 틀리지 않도록 꼼꼼히 점검하세요.

## 단어 배열하여 영작하기
우리말과 같도록 괄호 안의 말을 알맞게 배열하시오.

기출문제 풀고

**01**
누가 창문을 열었니?
(the window, who, opened)

= _____

**02**
저 집은 얼마나 오래되었니?
(that house, old, how, is)

= _____

**03**
우리는 언제 체크인해야 하니?
(we, check in, should, when)

= _____

**04**
너는 어떤 색상을 찾고 있니?
(looking for, color, are, what, you)

= _____

**05**
계절은 왜 바뀔까?
(do, the seasons, why, change)

= _____

짝문제로 마무리

**06**
누가 너에게 그 사진들을 보여 주었니?
(you, showed, who, the pictures)

= _____

**07**
그녀의 머리는 얼마나 기니?
(is, how, her hair, long)

= _____

**08**
내가 어디에서 화장실을 찾을 수 있니?
(can, where, find, a restroom, I)

= _____

**09**
그는 무슨 게임을 하고 있니?
(he, what, playing, is, game)

= _____

**10**
Jenny는 왜 오이를 싫어하니?
(Jenny, cucumbers, hate, why, does)

= _____

기출문제를 풀었으면 채점한 후, 짝문제를 푸세요. ▶

## 주어진 단어 활용하여 영작하기
우리말과 같도록 괄호 안의 말을 활용하여 문장을 완성하시오.

### 기출문제 풀고

**11** 내가 어떻게 기차표를 살 수 있니?
(buy, can, a train ticket)

= _____

**12** 그 아기는 언제 잠들었니?
(the baby, fall asleep)

= _____

**13** 최고의 하키 선수는 누구니?
(the best hockey player)

= _____

**14** 너는 딸기와 망고 중 어느 과일을 원하니?
(fruit, want)

= _____,
strawberries or mangos?

**15** Wilson은 어제 왜 결석했니?
(absent)

= _____
yesterday?

**16** 그들은 어디에서 스쿨버스를 타니?
(catch, the school bus)

= _____

### 짝문제로 마무리

**17** 내가 어떻게 그 동아리에 가입할 수 있니?
(can, the club, join)

= _____

**18** Nina는 언제 부산에 도착했니?
(arrive)

= _____ in Busan?

**19** 새 반장은 누구니?
(the new class president)

= _____

**20** 너는 강아지와 고양이 중 어느 동물을 더
좋아하니? (animal, like)

= _____
better, dogs or cats?

**21** 너의 부모님은 지난주에 왜 뉴욕에 계셨니?
(your parents, in New York)

= _____
last week?

**22** 그녀는 어디에 그녀의 자전거를 보관하니?
(keep, her bike)

= _____

기출문제를 풀었으면 채점한 후, 짝문제를 푸세요. ▶

## 기출문제 풀고

**23**
What is time it now?
(지금 몇 시니?)

→ _____

**24**
Where was Ron lose his bag?
(Ron은 어디에서 그의 가방을 잃어버렸니?)

→ _____

**25**
How long are elephants?
(코끼리들은 얼마나 크니?)

→ _____

**26**
What dish did you prefer, the steak or the grilled fish? (너는 스테이크와 생선구이 중 어느 요리가 더 좋았니?)

→ _____
_____

**27**
How this machine works?
(이 기계는 어떻게 작동하니?)

→ _____

**28**
Who are coming here now?
(지금 누가 여기에 오고 있니?)

→ _____

## 짝문제로 마무리

**29**
What can sports he play?
(그는 어떤 스포츠를 할 수 있니?)

→ _____

**30**
When are you walk your dog?
(너는 언제 너의 강아지를 산책시키니?)

→ _____

**31**
How far does your sister exercise?
(너의 여동생은 얼마나 자주 운동하니?)

→ _____

**32**
What hat will you choose, this one or that one?
(너는 이것과 저것 중 어느 모자를 고를 거니?)

→ _____
_____

**33**
How she learned French?
(그녀는 어떻게 프랑스어를 배웠니?)

→ _____

**34**
Who were sick yesterday?
(어제 누가 아팠니?)

→ _____

## 대화 영작하기

괄호 안의 말과 B의 답변에 쓴 표현을 활용하여 답변의 밑줄 친 부분에 대해 묻는 의문문을 완성하시오.

### 기출문제 풀고

**35**
A: _____
(gift)
B: He got <u>seven</u>.

**36**
A: _____
B: Her hobby is <u>listening to music</u>.

**37**
A: _____
(the TV show)
B: It ends <u>on June 8</u>.

**38**
A: _____
(the subway station)
B: It is <u>near the library</u>.

**39**
A: _____
(teach, the English class)
B: <u>Mr. Davis</u> does.

**40**
A: _____
(miss, the bus)
B: <u>Because I woke up late</u>.

**41**
A: _____
(the cartoon)
B: It was <u>funny</u>.

### 짝문제로 마무리

**42**
A: _____
(money)
B: I spent <u>30,000 won</u>.

**43**
A: _____
B: My favorite movie genre is <u>horror</u>.

**44**
A: _____
to the academy?
B: They go there <u>on Thursdays</u>.

**45**
A: _____
(my camera)
B: It is <u>on the sofa</u>.

**46**
A: _____
(clean, the science room)
B: <u>Hyunjung and I</u> do.

**47**
A: _____ last night?
(cry)
B: <u>Because she failed the exam</u>.

**48**
A: _____
(your weekend)
B: It was <u>fine</u>.

기출문제를 풀었으면 채점한 후, 짝문제를 푸세요. ▶

## 빈칸 완성하기
다음 빈칸에 공통으로 들어갈 알맞은 의문사를 쓰시오.

| 기출문제 풀고 | 짝문제로 마무리 |
|---|---|

**49**
- _____ are you reading?
- _____ will you do tomorrow?
- _____ kind of flower is this?

_____

**50**
- _____ was next to you?
- _____ do you live with?
- _____ is your role model?

_____

**51**
- _____ flavor did you choose?
- _____ is she like?
- _____ can I do for you?

_____

**52**
- _____ did you invite?
- _____ are those girls at the door?
- _____ was on the phone?

_____

기출문제를 풀었으면 채점한 후, 짝문제를 푸세요. ▶

## 정보 보고 영작하기
다음 정보를 보고 빈칸에 알맞은 말을 써서 대화를 완성하시오.

| 기출문제 풀고 | 짝문제로 마무리 |
|---|---|

Name: Jacob Smith
Birthday: December 22
Hometown: Chicago
Height: 164 cm

**53** A: _____ is Jacob's birthday?
B: His birthday is December 22.

**54** A: _____ is Jacob from?
B: He is from Chicago.

**55** A: _____ _____ is Jacob?
B: He is 164 centimeters tall.

**Ice Fishing Festival**
Date: January 19
Time: 9 A.M. – 5 P.M.
Place: Paju Leisure Town
Entrance Fee: ₩20,000

**56** A: _____ does the festival start?
B: It starts at 9 A.M.

**57** A: _____ is the festival held?
B: It's held at Paju Leisure Town.

**58** A: _____ _____ is the entrance fee?
B: It's 20,000 won.

기출문제를 풀었으면 채점한 후, 짝문제를 푸세요. ▶

# CHAPTER

# 07

# 문장의 종류 2

**POINT 1** 명령문
**POINT 2** 제안문
**POINT 3** 부가의문문
**POINT 4** 감탄문

기출문제 풀고 짝문제로 마무리!

우리말과 같도록 문장을 완성하시오.

손을 씻어라.

_____ your hands.

'~해라'라는 의미를 나타낼 때는 긍정 명령문을 쓰며, 동사원형으로 시작한다.

정답: Wash

'~해라'라는 의미로 상대방에게 요청·지시·명령·충고 등을 할 때 긍정 명령문을 쓰며, 주어 없이 동사원형으로 시작한다. 반대로 '~하지 마라'라는 의미로 상대방에게 금지·경고 등을 할 때는 부정 명령문을 쓰며, 「Don't[Do not] + 동사원형」 형태로 시작한다.

**TIP** • 명령문, + and ~해라, 그러면
**Turn right at the corner, and** you will see the bookstore.  모퉁이에서 오른쪽으로 돌아라, 그러면 너는 서점이 보일 것이다.

• 명령문, + or ~해라, 그렇지 않으면
**Hurry up, or** we will miss the bus.  서둘러라, 그렇지 않으면 우리는 버스를 놓칠 것이다.

## [1-6] 주어진 문장을 긍정 명령문 또는 부정 명령문으로 바꿔 쓰시오.

1  You should not use the elevator.  →  _____

2  You should be quiet.  →  _____

3  You should not sit on the grass.  →  _____

4  You should not watch TV now.  →  _____

5  You should close the window.  →  _____

6  You should dress warmly.  →  _____

## [7-13] 우리말과 같도록 괄호 안의 말을 활용하여 문장을 완성하시오.

7  다시는 늦지 마라. (late)

=  _____ again.

8  그에게 그 문제를 말해라, 그러면 그가 너를 도와줄 수 있다. (tell, the problem)

=  _____ he can help you.

9  그 문을 잠가라. (lock, the door)

=  _____

10  거짓말하지 마라. (tell, a lie)

=  _____

11  난방기를 켜라, 그렇지 않으면 너는 감기에 걸릴 것이다. (turn on, the heater)

=  _____ you will catch a cold.

12  여기서 뛰지 마라. (run)

=  _____ here.

13  이 우산을 가져가라. (take, this umbrella)

=  _____

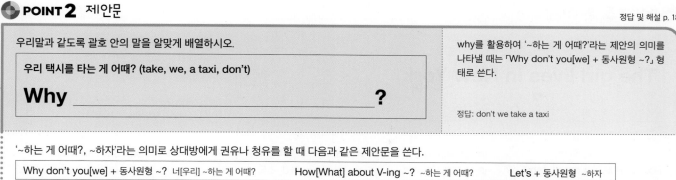

**POINT 2** 제안문

정답 및 해설 p. 18

우리말과 같도록 괄호 안의 말을 알맞게 배열하시오.

우리 택시를 타는 게 어때? (take, we, a taxi, don't)

**Why** _____?

why를 활용하여 '~하는 게 어때?'라는 제안의 의미를 나타낼 때는 「Why don't you[we] + 동사원형 ~?」형태로 쓴다.

정답: don't we take a taxi

'~하는 게 어때?, ~하자'라는 의미로 상대방에게 권유나 청유를 할 때 다음과 같은 제안문을 쓴다.

| Why don't you[we] + 동사원형 ~? 너[우리] ~하는 게 어때? | How[What] about V-ing ~? ~하는 게 어때? | Let's + 동사원형 ~하자 |

## [1-5] 우리말과 같도록 괄호 안의 말을 알맞게 배열하시오.

**1** 너 새 이어폰을 사는 게 어때? (buy, you, new earphones, don't, why)

= _____

**2** 함께 점심을 먹자. (lunch, let's, have)

= _____ together.

**3** 말들에게 먹이를 주는 게 어때? (about, feeding, how, the horses)

= _____

**4** 우리 Jane에게 그것에 관해 물어보는 게 어때? (don't, ask, Jane, why, we)

= _____ about it?

**5** 학교에 걸어가는 게 어때? (what, walking, about)

= _____ to school?

## [6-11] 우리말과 같도록 괄호 안의 말을 활용하여 문장을 완성하시오.

**6** Bob에게 간식들을 좀 가져다주는 게 어때? (bring, some snacks, what)

= _____ to Bob?

**7** 이 사다리를 사용하자. (use, this ladder)

= _____

**8** 이 신발을 신어 보는 게 어때? (try on, how, these shoes)

= _____

**9** 우리 샌드위치를 주문하는 게 어때? (why, sandwiches, order)

= _____

**10** 지도를 보자. (look at, the map)

= _____

**11** 너 그 미술관을 방문하는 게 어때? (the art museum, visit, why)

= _____

CHAPTER 07

문장의 종류 2 해커스 쓰기 자신감 Level 1

빈칸에 알맞은 부가의문문을 쓰시오.

## The girl lives in New York, _____ _____?

앞 문장이 일반동사의 긍정문이고 주어가 3인칭 단수이므로 부가의문문은 doesn't she로 쓴다.

정답: doesn't she
해석: 그 소녀는 뉴욕에 살아, 그렇지 않니?

*That cup is* too small, **isn't it**?
ⓐ, ⓑ
ⓒ

ⓐ 긍정문 뒤에는 부정의 부가의문문, 부정문 뒤에는 긍정의 부가의문문 (단, 부정형은 줄임말로 쓴다.)
ⓑ be동사 → be동사, 일반동사 → do/does/did, 조동사 → 조동사 (시제는 앞 문장의 시제와 같은 시제를 쓴다.)
ⓒ 앞 문장의 주어에 맞는 인칭대명사를 사용

**[1-7] 빈칸에 알맞은 부가의문문을 쓰시오.**

1  The story was amazing, _____ _____?

2  You don't wake up at 7 A.M. every day, _____ _____?

3  Mr. Smith bought you a computer, _____ _____?

4  Tina and Tony can't eat spicy food, _____ _____?

5  My grandma isn't in the living room, _____ _____?

6  I can put my bag here, _____ _____?

7  He is 13 years old, _____ _____?

**[8-14] 우리말과 같도록 괄호 안의 말을 활용하여 문장을 완성하시오.**

8  너와 Brad는 형제가 아니야, 그렇지? (brothers)

= You and Brad _____?

9  나는 저녁 식사 전에 집에 와야 해, 그렇지 않니? (should, come home)

= _____ before dinner, _____?

10  그 남자는 우리를 믿지 않았어, 그렇지? (the man, believe)

= _____

11  그녀는 열이 있어, 그렇지 않니? (have, a fever)

= _____

12  그 상자들은 무겁지 않았어, 그렇지? (the boxes, heavy)

= _____

13  내일은 흐릴 거야, 그렇지 않니? (will, cloudy)

= It _____ tomorrow, _____?

14  너의 여동생들은 나를 알아, 그렇지 않니? (your sisters, know)

= _____

 **POINT 4** 감탄문

정답 및 해설 p. 19

우리말과 같도록 괄호 안의 말을 활용하여 감탄문을 완성하시오.

> 정말 똑똑한 소년이구나! (smart)
>
> _____ boy!

명사(boy)를 강조하는 감탄문은 「What + (a/an) + 형용사 + 명사 (+ 주어 + 동사)!」 형태의 What 감탄문을 쓴다.

정답: What a smart

'정말 ~이구나[~하구나]!'라는 의미로 기쁨이나 놀라움 등의 감정을 나타낼 때 What/How 감탄문을 쓰며, 문장 맨 뒤의 「주어 + 동사」는 생략할 수 있다.
- What 감탄문(명사 강조): **What** + (a/an) + 형용사 + 명사 (+ 주어 + 동사)!  * a/an은 셀 수 있는 단수명사 앞에만 쓴다.
- How 감탄문(형용사/부사 강조): **How** + 형용사/부사 (+ 주어 + 동사)!  * 부사를 강조할 때는 「주어 + 동사」를 생략할 수 없다.

## [1-5] 우리말과 같도록 괄호 안의 말을 알맞게 배열하시오.

**1** 정말 두꺼운 벽이구나! (a, wall, thick, what)

= _____

**2** Dorothy는 정말 큰 소리로 말하는구나! (Dorothy, loudly, talks, how)

= _____

**3** 이것은 정말 비싼 드레스구나! (dress, this, what, is, an, expensive)

= _____

**4** 그들은 정말 운이 좋았구나! (were, how, they, lucky)

= _____

**5** 이것들은 정말 선명한 사진들이구나! (what, clear, these, pictures, are)

= _____

## [6-11] 우리말과 같도록 괄호 안의 말을 활용하여 감탄문을 영작하시오.

**6** 그 원숭이들은 정말 영리하구나! (clever, the monkeys)

= _____

**7** 너는 정말 아름다운 눈을 가지고 있구나! (have, eyes, beautiful)

= _____

**8** 그것은 정말 흥미로운 생각이구나! (an, idea, that, interesting)

= _____

**9** 차량이 정말 느리게 움직이는구나! (slowly, move, the traffic)

= _____

**10** 그것은 정말 맛있는 차구나! (it, delicious, tea)

= _____

**11** 그 베개는 정말 푹신하구나! (soft, the pillow)

= _____

CHAPTER 07

문장의 종류 2 해커스 쓰기 자신감 Level 1

# 기출문제 풀고 짝문제로 마무리!

기출문제를 풀고 정답과 해설을 확인하세요. 짝문제를 풀면서 복습하고, 틀린 문제는 다시 틀리지 않도록 꼼꼼히 점검하세요.

## 단어 배열하여 영작하기
우리말과 같도록 괄호 안의 말을 알맞게 배열하시오.

| **기출문제 풀고** | **짝문제로 마무리** |
|---|---|

**01**
우리 축구하는 게 어때?
(we, soccer, don't, play, why)

= _____

**06**
우리 거실을 청소하는 게 어때?
(clean, why, we, the living room, don't)

= _____

**02**
정말 근사한 날이구나!
(a, what, day, wonderful)

= _____

**07**
정말 귀여운 강아지구나!
(cute, a, puppy, what)

= _____

**03**
룸메이트를 찾는 게 어때?
(finding, about, a roommate, how)

= _____

**08**
공포 영화를 보는 게 어때?
(about, watching, how, a horror movie)

= _____

**04**
날씨가 정말 좋구나!
(nice, is, how, the weather)

= _____

**09**
너의 스웨터는 정말 화려하구나!
(your sweater, how, colorful, is)

= _____

**05**
그 케이크를 자르지 마라.
(the cake, cut, don't)

= _____

**10**
아이스박스에 뜨거운 물을 붓지 마라.
(pour, don't, hot water)

= _____
into the icebox.

기출문제를 풀었으면 채점한 후, 짝문제를 푸세요. ▶

## 주어진 단어 활용하여 영작하기
우리말과 같도록 괄호 안의 말을 활용하여 문장을 완성하시오.

### 기출문제 풀고

**11**

그녀는 매일 밤 책을 읽지 않아, 그렇지?
(read, a book)

= _____

every night, _____?

**12**

그것들은 정말 어려운 퀴즈들이었구나!
(difficult, quizzes)

= _____ they were!

**13**

너 너의 헌 옷을 파는 게 어때?
(your old clothes, why, sell)

= _____

**14**

Annie는 정말 조용히 말하는구나!
(quietly, speak)

= _____ Annie _____!

**15**

여기서 자전거를 타지 마라.
(ride, a bicycle)

= _____ here.

**16**

너는 전에 야구 선수였어, 그렇지 않니?
(a baseball player)

= _____

before, _____?

### 짝문제로 마무리

**17**

그들은 치즈버거를 좋아하지 않아, 그렇지?
(like, cheeseburgers)

= _____

_____

**18**

그들은 정말 용감한 아이들이구나!
(brave, kids)

= _____ they are!

**19**

너 약을 좀 먹는 게 어때?
(take, some medicine, why)

= _____

**20**

치타들은 정말 빠르게 달리는구나!
(fast, run)

= _____ cheetahs _____!

**21**

지금 창문을 열지 마라.
(open, the window)

= _____ now.

**22**

그는 정말 친절했어, 그렇지 않니?
(really friendly)

= _____

_____

## 빈칸 완성하기

우리말과 같도록 빈칸에 알맞은 말을 써서 문장을 완성하시오.

**23** 그들을 파티에 초대하자.

= _____ invite them to the party.

**24** 그 소년은 독일에서 왔어, 그렇지 않니?

= The boy is from Germany, _____
_____?

**25** 고난도
정말 아름다운 미소구나!

= _____ _____ beautiful
_____!

**26** 그 콘서트는 오후 5시에 시작했어, 그렇지 않니?

= The concert started at 5 P.M.,
_____ _____?

**27** 고난도
규칙적으로 운동해라, 그러면 너는 건강해질
것이다.

= _____ regularly, _____ you
will become healthy.

**28** Andrew는 정말 키가 크구나!

= _____ _____ Andrew is!

**29** 너와 나는 아무에게도 그 비밀을 말하면 안 돼,
그렇지?

= You and I shouldn't tell anyone the
secret, _____ _____?

**30** 점심 먹으러 나가자.

= _____ go out for lunch.

**31** 이 장갑들은 저렴해, 그렇지 않니?

= These gloves are cheap, _____
_____?

**32** 고난도
정말 대가족이구나!

= _____ _____ big
_____!

**33** 너의 남동생은 새 친구들을 사귀었어, 그렇지 않니?

= Your brother made new friends,
_____ _____?

**34** 고난도
아이스크림을 냉동실에 넣어라, 그렇지 않으면
그것은 녹을 것이다.

= _____ the ice cream in the
freezer, _____ it will melt.

**35** 그의 머리는 정말 짧구나!

= _____ _____ his hair is!

**36** White 선생님은 운전을 못하셔, 그렇지?

= Ms. White can't drive, _____
_____?

## 대화 영작하기

자연스러운 대화가 되도록 빈칸에 알맞은 말을 쓰시오. (문장에 주어진 단어가 있는 경우, 그 단어를 활용하여 쓸 것)

| 기출문제 풀고 | 짝문제로 마무리 |
|---|---|

**기출문제 풀고**

37  A: George, can you fix my computer?
    B: Let's see. I'm sorry, but I can't. What
    _____ _____ it to a repair
    shop? (take)
    A: OK! I will.

38  A: Tap water comes from the sea,
    _____ _____?
    B: No. It comes from lakes and rivers.

기출문제를 풀었으면 채점한 후, 짝문제를 푸세요. ▶

**짝문제로 마무리**

39  A: Are you busy this afternoon?
    B: I don't have any plans at the moment.
    A: How _____ _____
    downtown? (shop)
    B: Sure! That sounds perfect.

40  A: You and Justin skip breakfast,
    _____ _____?
    B: No. We always eat breakfast.

## 표지판 보고 영작하기

다음 표지판을 보고 [A]와 [B]에서 알맞은 말을 하나씩 골라 명령문을 완성하시오.

**기출문제 풀고**

| [A] | | [B] | |
|---|---|---|---|
| feed | wear | noise | the birds |
| make | cross | a helmet | the street |

41

_____

42

_____ in the library.

기출문제를 풀었으면 채점한 후, 짝문제를 푸세요. ▶

**짝문제로 마무리**

| [A] | | [B] | |
|---|---|---|---|
| pick | use | drinks | your bikes |
| park | bring | the stairs | the flowers |

43

_____ here.

44

_____

## 문장 바꿔 쓰기
다음 문장을 괄호 안의 지시대로 바꿔 쓰시오.

| 기출문제 풀고 |
| --- |

**45**
> You shouldn't fall asleep during class.
> (명령문으로)

→ _____

_____

**46**
> The movie was so boring.
> (감탄문으로)

→ _____

| 짝문제로 마무리 |
| --- |

**47**
> You should check train schedules on the website. (명령문으로)

→ _____

_____

**48**
> It is a really great palace.
> (감탄문으로)

→ _____

기출문제를 풀었으면 채점한 후, 짝문제를 푸세요. ▶

## 조건에 맞게 영작하기
주어진 <조건>에 맞게 문장을 완성하시오.

| 기출문제 풀고 |
| --- |

─── <조건> ───
• 지하철역 주의 사항과 관련된 내용일 것
• 명령문의 형태를 띨 것
• 괄호 안에 주어진 단어를 활용할 것

**49**
_____
on the subway door.
(lean)

**50**
_____
on the escalator.
(hold, the handrail)

| 짝문제로 마무리 |
| --- |

─── <조건> ───
• 조리실 안전 수칙과 관련된 내용일 것
• 명령문의 형태를 띨 것
• 괄호 안에 주어진 단어를 활용할 것

**51**
_____
with wet hands.
(touch, the outlet)

**52**
_____
after cooking.
(close, the gas valve)

기출문제를 풀었으면 채점한 후, 짝문제를 푸세요. ▶

# CHAPTER
# 08

# to부정사와 동명사

기출문제 **풀고** 짝문제**로 마무리!**

## POINT 1  명사 역할을 하는 to부정사: 목적어

우리말과 같도록 괄호 안의 말을 알맞은 형태로 바꿔 쓰시오.

**나는 체스 동아리에 가입하기를 원한다. (join)**

# I want _____ a chess club.

'~하는 것을, ~하기를'이라는 의미로 동사 want 뒤 목적어 자리에 동사(join)를 쓸 때는 to부정사 형태인 「to + 동사원형」으로 써야 한다.

정답: to join

다음 동사 뒤 목적어 자리에 다른 동사를 쓰려면 그냥 쓸 수 없고 to부정사 형태로 써야 한다.

| want | wish | need | expect | would like | hope | plan | decide | choose | promise | learn |

**[1-5] 우리말과 같도록 괄호 안의 말을 알맞게 배열하시오.**

1  나의 가족은 이 호텔에 머물기로 정했다. (to, chose, my family, stay)

= _____ at this hotel.

2  Jessie는 혼자 여행하기를 원하니? (does, wish, travel, to, Jessie)

= _____ alone?

3  그는 나의 컴퓨터를 고쳐 주기로 약속했다. (he, to, fix, promised, my computer)

= _____

4  Linda는 이탈리아 식당을 여는 것을 계획 중이다. (is, open, Linda, planning, an Italian restaurant, to)

= _____

5  그 선생님은 Brown에게 상을 주기로 결정하셨다. (to, decided, a prize, give, to, the teacher, Brown)

= _____


**[6-11] 우리말과 같도록 괄호 안의 말을 활용하여 문장을 완성하시오.**

6  그녀는 운전하는 것을 배우지 않았다. (learn, drive)

= _____

7  나의 남동생은 빨리 졸업하기를 원한다. (my brother, graduate, would like)

= _____ early.

8  그 아이는 용돈 받는 것을 기대했다. (get, expect, the kid, pocket money)

= _____

9  모든 선수들은 그 규칙들을 따라야 할 필요가 있다. (the rules, all players, follow, need)

= _____

10  나는 과학자가 되기를 원한다. (be, a scientist, want)

= _____

11  우리는 너를 다시 보기를 바란다. (hope, see)

= _____ again.

우리말과 같도록 괄호 안의 말을 활용하여 문장을 완성하시오.

**배드민턴 치는 것은 나의 취미이다. (play, badminton)**

_____ **is my hobby.**

'~하는 것은'이라는 의미로 주어 자리에 동사(play)를 쓸 때는 to부정사 형태로 쓴다.

정답: To play badminton

동사는 주어나 보어 자리에 쓸 수 없으므로 동사를 to부정사 형태로 바꿔 쓴다. 이때 주어로 쓰인 to부정사(구)는 항상 단수 취급한다.

## [1-5] 우리말과 같도록 괄호 안의 말을 알맞게 배열하시오.

**1** 다음 단계는 주장을 뽑는 것이다. (is, select, the next step, to, a captain)

= _____

**2** 영어로 에세이를 쓰는 것은 어렵다. (to, in English, difficult, is, an essay, write)

= _____

**3** 그녀의 일은 학생들에게 수학을 가르치는 것이다. (teach, math, is, her job, students, to)

= _____

**4** 수영하는 것은 우리의 건강에 좋다. (is, to, swim, good)

= _____ for our health.

**5** 나의 꿈은 유명한 가수가 되는 것이다. (my dream, be, is, to, a famous singer)

= _____

## [6-11] 우리말과 같도록 괄호 안의 말을 활용하여 빈칸에 쓰시오.

**6** 10킬로그램을 빼는 것이 그녀의 소원이었다. (kilograms, her wish, lose)

= _____ _____ _____ _____ _____.

**7** 그의 습관은 매일 아침 물을 마시는 것이다. (his habit, water, drink)

= _____ _____ _____ _____ _____ every morning.

**8** 잘 자는 것은 중요하다. (sleep well, important)

= _____ _____ _____ _____.

**9** 우리의 계획은 올여름에 해외로 가는 것이다. (our plan, go abroad)

= _____ _____ _____ _____ this summer.

**10** 외국어를 통달하는 것은 쉽지 않다. (easy, master, a foreign language)

= _____ _____ _____ _____ _____ _____.

**11** 나의 목표는 그 시험에 합격하는 것이다. (pass, my goal, the exam)

= _____ _____ _____ _____ _____.

## POINT 3 부사 역할을 하는 to부정사

우리말과 같도록 괄호 안의 말을 활용하여 문장을 완성하시오.

그녀는 그 버스를 잡아타기 위해 빠르게 뛰었다. (catch, the bus)

### She ran fast _____.

동사(catch)를 활용해 '~하기 위해'라는 목적을 나타낼 때는 to부정사 형태로 쓴다.

정답: to catch the bus

'~하기 위해'라는 목적이나 '~해서, ~하게 되어'라는 감정의 원인을 나타낼 때 to부정사를 쓴다. to부정사(구)가 목적을 나타낼 때는 완전한 문장의 앞이나 뒤에 쓰고, 감정의 원인을 나타낼 때는 감정 형용사 바로 뒤에 쓴다.
*We turned on the TV* **to watch** the drama. 우리는 드라마를 보기 위해 TV를 켰다.
*It's nice* **to meet** you. 너를 만나서 좋다. * 감정 형용사: nice, happy, sorry, upset, excited, surprised, pleased 등

**[1-5] 우리말과 같도록 괄호 안의 말을 알맞게 배열하시오.**

1 Kate는 사진을 찍기 위해 멈췄다. (stopped, a picture, take, to)

= Kate _____.

2 너는 그들을 보고 놀랐니? (you, were, see, surprised, to, them)

= _____

3 그는 그의 휴대 전화를 잃어버려서 속상했다. (he, lose, upset, his cell phone, to, was)

= _____

4 Gail은 운동하기 위해 공원에 갔다. (to the park, to, went, exercise)

= Gail _____.

5 그 아이는 선물을 받아서 행복해 보였다. (happy, receive, looked, to, the child, a present)

= _____

**[6-11] 우리말과 같도록 괄호 안의 말을 활용하여 문장을 완성하시오.**

6 사냥꾼들을 피하기 위해, 그 다람쥐는 나무 위로 올라갔다. (hunters, the tree, climb up, avoid)

= _____, the squirrel _____.

7 그들은 그들의 오랜 친구들을 만나서 기뻤다. (meet, pleased, their old friends)

= _____

8 나는 새로운 일을 시작하게 되어 신이 난다. (excited, a new job, start)

= _____

9 혜영은 질문하기 위해 손을 들었다. (a question, her hand, raise, ask)

= Hyeyoung _____.

10 우리는 그 소식을 듣게 되어 유감이었다. (the news, hear, sorry)

= _____

11 우리 팀은 그 경기를 이기기 위해 열심히 연습할 것이다. (practice hard, will, the game, win)

= Our team _____

## ● POINT 4 형용사 역할을 하는 to부정사

우리말과 같도록 괄호 안의 말을 활용하여 문장을 완성하시오.

너는 파티에 입을 옷을 골라야 한다. (clothes, wear)

# You should choose _____ for the party.

'~할, ~하는'이라는 의미로 동사(wear)가 명사(clothes)를 꾸밀 때는 동사를 to부정사 형태로 쓴다.

정답: clothes to wear

동사를 형용사처럼 (대)명사를 꾸미게 하려면 동사를 to부정사 형태로 바꿔 (대)명사 뒤에 써야 한다.

### [1-4] 우리말과 같도록 괄호 안의 말을 알맞게 배열하시오.

1 그 주방장은 요리할 야채들을 씻고 있다. (is, to, the chef, vegetables, cook, washing)

= _____

2 너는 우리에게 말할 것이 있니? (do, us, anything, you, tell, have, to)

= _____

3 Kevin은 이 문제를 해결할 방법을 알고 있다. (a way, solve, knows, this problem, to, Kevin)

= _____

4 내가 마실 것을 주문해도 되니? (to, order, I, something, can, drink)

= _____

### [5-11] 우리말과 같도록 괄호 안의 말을 활용하여 문장을 완성하시오.

5 그녀는 그녀의 엄마께 드릴 가방을 만들고 있다. (give, make, a bag, her mother)

= _____

6 수정은 민호에게 먹을 것을 가져다줄 것이다. (bring, eat, will, something)

= Soojung _____ to Minho.

7 그는 컴퓨터를 살 돈을 모았다. (save, a computer, money, buy)

= _____

8 방문할 곳을 추천해 주세요. (a place, recommend, visit)

= Please _____ .

9 너는 읽을 것을 빌렸니? (anything, read, borrow)

= _____

10 우리는 이야기할 충분한 시간을 가지지 못했다. (talk, enough time, have)

= _____

11 나는 나를 도와줄 누군가가 필요하다. (help, need, someone)

= _____

우리말과 같도록 괄호 안의 말을 알맞은 형태로 바꿔 쓰시오.

그 아기는 계속 울었다. (cry)

**The baby kept _____ .**

동사 keep 뒤 목적어 자리에 동사(cry)를 쓸 때는 동명사 형태인 V-ing로 써야 한다.

정답: crying

동명사는 동사에서 명사로 바뀐 형태이므로 명사처럼 주어·보어·목적어 자리에 쓸 수 있다. 동명사(구)를 주어로 쓸 때는 항상 단수 취급하고, 목적어로 쓸 때는 다음 동사들 뒤에 쓴다.

| enjoy | finish | avoid | keep | mind | give up | stop | consider | practice |

**[1-5] 우리말과 같도록 괄호 안의 말을 알맞게 배열하시오.**

1 낮잠을 자는 것은 너의 건강에 좋다. (good, is, taking, a nap)

= _____ for your health.

2 그들은 새 카펫을 사는 것을 고려하고 있다. (are, a new carpet, buying, considering, they)

= _____

3 우리의 실수는 그녀에게 그 잘못된 영수증을 보낸 것이었다. (the wrong receipt, her, was, sending, our mistake)

= _____

4 나는 기타 치는 것을 포기했다. (playing, gave up, the guitar, I)

= _____

5 그의 나쁜 습관은 손톱을 물어뜯는 것이다. (biting, his bad habit, his nails, is)

= _____

**[6-11] 우리말과 같도록 괄호 안의 말을 활용하여 빈칸에 쓰시오.**

6 Rachel은 뮤지컬 보는 것을 즐긴다. (musicals, enjoy, watch)

= _____ _____ _____ _____ .

7 건강에 좋은 음식을 먹는 것은 중요하다. (important, eat, healthy food)

= _____ _____ _____ _____ .

8 그는 밤에 운전하는 것을 연습할 것이다. (practice, will, drive)

= _____ _____ _____ _____ at night.

9 그녀의 소원은 귀여운 반려동물을 키우는 것이다. (have, a cute pet, her wish)

= _____ _____ _____ _____ _____ .

10 그 기계는 갑자기 작동하는 것을 멈췄다. (the machine, work, stop)

= _____ _____ _____ _____ suddenly.

11 치과에 가는 것을 피하지 마라. (avoid, go)

= _____ _____ _____ to the dentist.

우리말과 같도록 괄호 안의 말을 활용하여 문장을 완성하시오.

늦어서 미안해. (sorry for, be)

I'm _____ late.

전치사(for) 뒤에 동사(be)를 쓸 때는 동명사 형태로 쓴다.

정답: sorry for being

전치사 뒤에는 명사가 와야 하므로 동사를 쓰려면 동명사 형태로 바꿔 써야 한다. 전치사 뒤에 동명사를 쓰는 표현은 보통 숙어처럼 쓰인다.

| | | |
|---|---|---|
| be good at + V-ing ~하는 것을 잘하다 | look forward to + V-ing ~하는 것을 기대하다 | How[What] about + V-ing? ~하는 게 어때? |
| feel like + V-ing ~하고 싶다 | be afraid of + V-ing ~하는 것을 무서워하다 | be sorry for + V-ing ~해서 미안하다[유감이다] |
| thank … for + V-ing ~한 것에 대해 …에게 감사하다 | be interested in + V-ing ~하는 데 관심[흥미]이 있다 | |

TIP 기타 동명사 관용 표현

| | | | |
|---|---|---|---|
| go + V-ing ~하러 가다 | be busy + V-ing ~하느라 바쁘다 | be worth + V-ing ~할 가치가 있다 | spend + 시간/돈 + V-ing ~하는 데 시간/돈을 쓰다 |

**[1-4] 우리말과 같도록 괄호 안의 말을 알맞게 배열하시오.**

**1** 내일 야영하러 가자. (camping, go, let's)

= _____ tomorrow.

**2** 그녀는 무대에 서는 것을 무서워한다. (is, of, she, being, afraid)

= _____ on the stage.

**3** 이 책은 읽을 가치가 있다. (is, this book, reading, worth)

= _____

**4** 나의 여동생은 우표들을 수집하는 데 관심이 있다. (in, stamps, is, my sister, collecting, interested)

= _____

**[5-10] 우리말과 같도록 괄호 안의 말을 활용하여 문장을 완성하시오.**

**5** 너는 축제를 준비하느라 바쁘니? (prepare for, busy, the festival)

= _____

**6** 우리는 불을 꺼 준 것에 대해 소방관들에게 감사해했다. (the firefighters, the fire, thank, put out)

= _____

**7** 그는 곧 편지 한 통 받는 것을 기대하고 있다. (get, look, a letter, forward)

= _____ soon.

**8** 여기서 Robert를 기다리는 게 어때? (what, wait for)

= _____ here?

**9** 펭귄들은 물속에서 수영하는 데 많은 시간을 보낸다. (swim, a lot of time, spend, penguins)

= _____ in the water.

**10** 나는 오늘 밤에 외식하고 싶지 않다. (feel, eat out)

= _____ tonight.

# 기출문제 풀고 짝문제로 마무리!

기출문제를 풀고 정답과 해설을 확인하세요. 짝문제를 풀면서 복습하고, 틀린 문제는 다시 틀리지 않도록 꼼꼼히 점검하세요.

## 틀린 부분 고쳐 쓰기
다음 문장에서 어법상 틀린 부분을 바르게 고쳐 완전한 문장을 쓰시오.

| 기출문제 풀고 | 짝문제로 마무리 |
|---|---|

**01**
The best way is to taken the subway.
(최선의 방법은 지하철을 타는 것이다.)

→ _____

**06**
Her aim is to winning a gold medal.
(그녀의 목표는 금메달을 따는 것이다.)

→ _____

**02**
We need cleaning our desks.
(우리는 우리의 책상들을 청소할 필요가 있다.)

→ _____

**07**
I want speaking five languages.
(나는 5개 국어를 말하기를 원한다.)

→ _____

**03**
Yura is looking forward to visit the castle.
(유라는 그 성을 방문하는 것을 기대하고 있다.)

→ _____
_____

**08**
He is interested in to solve puzzles.
(그는 퍼즐들을 푸는 것에 관심이 있다.)

→ _____

**04**
Reading comic books are fun.
(만화책들을 읽는 것은 재미있다.)

→ _____

**09**
Traveling long distances were hard.
(장거리 여행하는 것은 힘들었다.)

→ _____

**05**
The boy was excited score a goal.
(그 소년은 골을 넣게 되어 신이 났다.)

→ _____

**10**
They were sad hear the story.
(그들은 그 이야기를 들어서 슬펐다.)

→ _____

기출문제를 풀었으면 채점한 후, 짝문제를 푸세요. ▶

## 단어 배열하여 영작하기

우리말과 같도록 괄호 안의 말을 알맞게 배열하시오.

### 기출문제 풀고

**11** 내가 가장 좋아하는 취미는 사진을 찍는 것이다.
(is, pictures, my favorite pastime, taking)

= _____

**12** 나의 아빠는 할 일이 많으시다.
(to, has, my father, a lot of work, do)

= _____

**13** Ben과 Tyler는 일출을 보기 위해 일찍 일어났다.
(see, early, the sunrise, to, got up)

= Ben and Tyler _____

_____ .

**14** 나는 나의 자리를 바꾸는 것을 꺼리지 않는다.
(don't, my seat, changing, I, mind)

= _____

_____

**15** 그녀는 옷을 사는 데 약간의 돈을 썼다.
(spent, clothes, some money, buying, she)

= _____

**16** 규칙적으로 운동하는 것은 너를 건강하게 만들
것이다. (regularly, exercise, healthy, will, you,
make, to)

= _____

_____

### 짝문제로 마무리

**17** 그의 문제는 너무 많은 단것을 먹는 것이다.
(too many sweets, eating, is, his problem)

= _____

**18** 나는 지금 너에게 말할 것이 없다.
(have, say, nothing, I, to)

= _____ to you now.

**19** 박물관을 찾기 위해, Sue는 지도를 가져왔다.
(a map, find, to, brought, the museum)

= _____ ,

Sue _____ .

**20** 너는 정오까지 설거지하는 것을 끝내야 한다.
(you, washing, have to, finish, the dishes)

= _____

_____ by noon.

**21** 그들은 그들의 숙제를 하느라 바쁘다.
(doing, they, their homework, busy, are)

= _____

**22** 창의적인 것은 쉽지 않다.
(not, to, is, easy, be, creative)

= _____

_____

## 빈칸 완성하기

우리말과 주어진 <조건>에 맞게 빈칸에 알맞은 말을 써서 문장을 완성하시오.

기출문제 풀고

**23** 나의 할머니는 문자 메시지 보내는 것을 배우셨다.

―<조건>―
send를 활용할 것

= My grandmother _____
_____ _____ text
messages.

**24** 그녀는 상을 받아서 행복했다.

―<조건>―
happy, receive를 활용할 것

= She was _____ _____
_____ an award.

**25** 윤상은 모형 배들을 만드는 것을 잘한다.
고난도

―<조건>―
전치사 at과 동사 build를 활용할 것

= Yoonsang _____ _____
_____ _____ model ships.

**26** 그 여자는 머리를 말리기 위해 헤어드라이어를
사용했다.

―<조건>―
dry를 활용할 것

= The woman used a hairdryer
_____ _____ her hair.

**27** Andy는 쿠키를 굽는 것을 즐긴다.

―<조건>―
bake를 활용할 것

= Andy _____ _____ cookies.

짝문제로 마무리

**28** 그 학생은 만점을 받을 것을 예상하지 못했다.

―<조건>―
get을 활용할 것

= The student didn't _____
_____ _____ a perfect
score.

**29** 그는 나의 나이를 알고서 놀랐니?

―<조건>―
surprised, know를 활용할 것

= Was he _____ _____
_____ my age?

**30** 나는 간식을 먹고 싶다.
고난도

―<조건>―
전치사 like와 동사 have를 활용할 것

= I _____ _____ _____
a snack.

**31** 나의 고모는 아픈 사람들을 돕기 위해 간호사가
되셨다.

―<조건>―
help를 활용할 것

= My aunt became a nurse _____
_____ sick people.

**32** 너는 어두운 거리를 걷는 것을 피해야 한다.

―<조건>―
walk를 활용할 것

= You should _____ _____ on
dark streets.

기출문제를 풀었으면 채점한 후, 짝문제를 푸세요. ▶

## 주어진 단어 활용하여 영작하기
우리말과 같도록 괄호 안의 말을 활용하여 영작하시오. (제시된 단어 수에 맞춰 쓸 것)

| 기출문제 풀고 | 짝문제로 마무리 |
|---|---|

**33**
우리는 묵을 곳을 찾아야 한다.
(find, a place, have to, stay) [8단어]

= _____

**34**
Lizzy는 줄넘기하는 것을 연습할 것이다.
(jump, will, rope, practice) [5단어]

= _____

**35**
그의 꿈은 에베레스트산을 오르는 것이다.
(Mount Everest, his dream, climb) [7단어]

= _____

**36**
그녀는 변호사가 되기를 희망하니?
(be, a lawyer, hope) [7단어]

= _____

**37**
영화를 만드는 것은 많은 시간이 걸린다.
(a movie, take, make, a lot of time) [8단어]

= _____

**38**
보드게임을 하는 게 어때?
(play, how, a board game) [6단어]

= _____

**39**
나에게 입을 것 좀 가져다주겠니?
(bring, wear, something, can) [7단어]

= _____

**40**
스마트폰 사용하는 것을 그만해라.
(stop, your smartphone, use) [4단어]

= _____

**41**
나의 계획은 해외에서 공부하는 것이었다.
(my plan, study abroad) [6단어]

= _____

**42**
Brian은 나에게 그의 노트북을 빌려주기로 약속했다. (his laptop, lend, promise) [7단어]

= _____

**43**
이 파일을 내려받는 것은 선택 사항이다.
(optional, download, this file) [5단어]

= _____

**44**
그들은 그 지붕을 수리해 준 것에 대해 우리에게 고마워했다. (thank, the roof, repair) [7단어]

= _____

CHAPTER 08

to부정사와 동명사 해커스 쓰기 자신감 Level 1

## 두 문장을 한 문장으로 연결하기
to부정사를 이용하여 다음 두 문장을 한 문장으로 연결하시오.

| 기출문제 풀고 | 짝문제로 마무리 |
|---|---|

**45** 고난도
I have some pictures. I will show you them.

→ _____

**46**
The man was glad. He returned to his hometown.

→ _____

_____

**47**
She will go to the hospital. She will check her stomach.

→ _____

_____

**48** 고난도
I need water. I will drink it.

→ _____

**49**
They were upset. They lost the game.

→ _____

_____

**50**
I turned on my computer. I sent an e-mail.

→ _____

_____

기출문제를 풀었으면 채점한 후, 짝문제를 푸세요. ▶

## 대화 읽고 영작하기
<보기>와 같이 대화에 나온 표현을 활용하여 문장을 완성하시오.

| 기출문제 풀고 | 짝문제로 마무리 |
|---|---|

— <보기> —
Sophia: Do you often ride a bicycle?
Mandy: Yes, I do.
→ Mandy enjoys *riding a bicycle* _____.

**51**
Bruno: Will you order food online?
Jay: Yes, I will.

→ Jay plans _____.

**52**
Bella: Do you still wake up early on the weekends?
Ken: No, I don't.

→ Ken gave up _____

_____.

— <보기> —
Sophia: Do you often ride a bicycle?
Mandy: Yes, I do.
→ Mandy enjoys *riding a bicycle* _____.

**53**
Owen: Will you cut your hair?
Ella: Yes, I will.

→ Ella decided _____.

**54**
Lauren: Are you still thinking about the problem?
Derek: Yes, I am.

→ Derek keeps _____

_____.

기출문제를 풀었으면 채점한 후, 짝문제를 푸세요. ▶

# CHAPTER

# 09

# 명사와 대명사

**기출문제 풀고 짝문제로 마무리!**

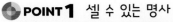 
우리말과 같도록 괄호 안의 말을 알맞은 형태로 바꿔 쓰시오.

> 컵 세 잔이 식탁 위에 있다. (cup)
>
> # Three _____ are on the table.

'둘 이상'을 나타낼 때는 셀 수 있는 명사의 복수형을 써야 하므로 cups로 쓴다.

정답: cups

하나, 둘 등으로 셀 수 있는 명사는 단수일 때는 명사 앞에 a(n)를 쓰고, 복수일 때는 복수형으로 쓴다. 복수형은 대부분 명사에 -(e)s를 붙여 만들며, 일부는 불규칙하게 변한다.

| 규칙 변화 | | |
|---|---|---|
| + -s | cup**s** | dog**s** |
| -s, -x, -ch, -sh + -es | bus - bus**es** | fox - fox**es** |
| 「자음 + o」 + -es | potato - potato**es**     tomato - tomato**es**<br>※ 예외: piano - piano**s**, photo - photo**s** | |
| 「자음 + y」→ y를 i로 바꾸고 + -es | lady - lad**ies** | party - part**ies** |
| -f, -fe → f, fe를 v로 바꾸고 + -es | leaf - lea**ves**     knife - kni**ves**<br>※ 예외: roof - roof**s**, cliff - cliff**s** | |

| 불규칙 변화 | |
|---|---|
| 불규칙하게<br>변하는 명사 | child - **children**<br>(wo)man - **(wo)men**<br>mouse - **mice**<br>tooth - **teeth** |
| 단수형과 복수형이<br>같은 명사 | sheep - **sheep**<br>deer - **deer**<br>fish - **fish** |

**[1-9] 우리말과 같도록 괄호 안의 말을 활용하여 문장을 완성하시오. (숫자는 영어로 쓸 것)**

1 한 소녀가 발레를 하고 있다. (girl, do ballet)

= _____

2 양 열 마리가 산에서 뛰고 있다. (sheep, run)

= _____ on the mountain.

3 곰들은 두 개의 둥근 귀를 가지고 있다. (round ear, have, bear)

= _____

4 많은 교회들이 크리스마스 행사들을 계획했다. (many church, Christmas event, plan)

= _____

5 그는 쥐들을 보고 놀랐다. (see, surprised, the mouse, to)

= _____

6 너는 오늘 아침에 우산 한 개를 가지고 갔니? (take, umbrella)

= _____ this morning?

7 영화에서 다섯 명의 영웅들이 싸우고 있다. (hero, fight)

= _____ in the movie.

8 Janet은 문제집 한 권을 살 것이다. (buy, will, workbook)

= _____

9 그 아기들이 나를 보고 미소 지었다. (the baby, smile at)

= _____

| | |
|---|---|
| 우리말과 같도록 괄호 안의 말을 활용하여 문장을 완성하시오.<br><br>한 소년이 주스 두 병을 깨뜨렸다. (bottle)<br><br>**A boy broke two** _____. | 셀 수 없는 명사인 '주스'의 수량을 나타낼 때는 주스를 담는 '병'을 활용하여 a bottle[bottles] of juice로 쓴다.<br><br>정답: bottles of juice |

하나, 둘 등으로 셀 수 없는 명사는 명사 앞에 a(n)를 붙일 수 없고 복수형으로도 쓸 수 없다. 따라서 셀 수 없는 명사는 그것을 담는 그릇이나 단위를 나타내는 말인 단위명사를 활용하여 수량을 나타내고, 복수형은 단위명사에 -(e)s를 붙여 만든다.

| | | |
|---|---|---|
| <잔> a glass of water/milk/juice | <컵/잔> a cup of tea/coffee | <병> a bottle of water/juice |
| <캔> a can of soda/paint | <그릇> a bowl of soup/rice/cereal | <덩어리> a loaf of bread |
| <장/점> a piece of paper/furniture | <조각> a slice[piece] of pizza/cheese/bread/cake | |

**TIP** 항상 복수형으로 쓰는 한 쌍이 짝을 이루는 명사는 단위명사 pair를 활용하여 수량을 나타낸다.
She has **a pair of** *sunglasses*. 그녀는 선글라스 한 개를 가지고 있다.

**[1-10]** 우리말과 같도록 괄호 안의 말을 활용하여 문장을 완성하시오. (숫자는 영어로 쓸 것)

**1** 그녀는 차 한 잔을 원하니? (want, tea, cup)

= _____

**2** Gill은 물을 마시고 있다. (drink, water)

= _____

**3** 그 쥐는 치즈 세 조각을 가져갔다. (slice, take, the mouse, cheese)

= _____

**4** 나의 엄마는 나에게 양말 네 켤레를 가져다주셨다. (sock, pair, bring, my mother)

= _____

**5** 빵 다섯 덩어리를 굽자. (bread, bake, loaf)

= Let's _____.

**6** Sam은 은행에 그의 돈을 저축했다. (save, his money)

= _____ in the bank.

**7** 내가 오렌지주스 한 잔을 주문해도 되니? (orange juice, may, glass, order)

= _____

**8** Cindy는 밥 두 그릇을 먹었다. (bowl, eat, rice)

= _____

**9** 과학은 매우 어렵다. (science, very difficult)

= _____

**10** 나는 종이 열 장이 필요하다. (paper, need, piece)

= _____

우리말과 같도록 괄호 안의 말을 활용하여 문장을 완성하시오.

**상자 안에 인형 한 개가 있다. (there, doll)**

_____ in the box.

there를 활용해 '~이 한 개 있다'라는 의미를 나타낼 때는 「There is + 단수명사」 형태로 쓴다.

정답: There is a doll

• 「There is/are + 명사」: There is + 단수명사 또는 셀 수 없는 명사 / There are + 복수명사
• 「There is/are + 명사」의 부정문: There is/are + not + 명사
• 「There is/are + 명사」의 의문문과 답변: Is/Are there + 명사 ~?   - Yes, there is/are.   - No, there isn't/aren't.

**[1-4] 우리말과 같도록 괄호 안의 말을 알맞게 배열하시오.**

1   바구니 안에 야채들이 있다. (are, vegetables, there)

= _____ in the basket.

2   학교 근처에 공원이 있니? (park, there, a, is)

= _____ near the school?

3   지붕에 눈이 많이 없다. (there, much snow, is, not)

= _____ on the roof.

4   차고에 차 한 대가 있다. (car, a, there, is)

= _____ in the garage.

**[5-11] 우리말과 같도록 there와 괄호 안의 말을 활용하여 문장을 완성하시오.**

5   컵에 우유가 있니? (milk)

= _____ in the cup?

6   지금 충분한 시간이 없다. (enough time)

= _____ now.

7   의자 아래에 고양이 두 마리가 있다. (cat)

= _____ under the chair.

8   벽에 포스터들이 있니? (poster)

= _____ on the wall?

9   병 안에 소금이 많이 없다. (much salt)

= _____ in the jar.

10   천장에 파리 한 마리가 있다. (fly)

= _____ on the ceiling.

11   선반 위에 많은 책들이 있다. (many book)

= _____ on the shelf.

우리말과 같도록 괄호 안의 말을 활용하여 문장을 완성하시오.

그는 그녀를 저녁 식사에 초대했다. (invite)

_____ **to dinner.**

인칭대명사는 인칭·수·격에 따라 형태가 달라진다. 주어 자리에 '그'는 He로, 목적어 자리에 '그녀'는 her로 쓴다.

정답: He invited her

인칭대명사가 주어 자리에 오면 주격을, 명사 앞에서 소유 관계를 나타내면 소유격을, 목적어 자리에 오면 목적격을 쓴다. 「소유격 + 명사」를 대신하는 경우 소유대명사를 쓴다.

| 인칭·수 \ 격 | | 주격 (~은/는/이/가) | 소유격 (~의) | 목적격 (~을/를, ~에게) | 소유대명사 (~의 것) |
|---|---|---|---|---|---|
| 1인칭 | 단수 | I | my | me | mine |
| | 복수 | we | our | us | ours |
| 2인칭 | 단수·복수 | you | your | you | yours |
| 3인칭 | 단수 | she | her | her | hers |
| | | he | his | him | his |
| | | it | its | it | - |
| | 복수 | they | their | them | theirs |

**[1-4] 우리말과 같도록 괄호 안의 말을 알맞게 배열하시오.**

1 그 검은 코트는 그녀의 것이다. (is, hers, the black coat)

= _____

2 그의 가족은 다음 달에 그들을 방문할 것이다. (visit, his, will, family, them)

= _____ next month.

3 그녀는 나의 사촌이다. (cousin, is, my, she)

= _____

4 그는 나에게 축구공 한 개를 빌려주었다. (soccer ball, lent, to, a, he, me)

= _____

**[5-8] 우리말과 같도록 괄호 안의 말을 활용하여 문장을 완성하시오.**

5 내가 너의 모자를 빌려도 되니? (borrow, hat, can)

= _____

6 그 선생님은 우리에게 풍력 에너지에 관해 말씀하셨다. (the teacher, tell)

= _____ about wind energy.

7 저 트로피는 우리의 것이다. (that trophy)

= _____

8 그들은 그를 따라갔다. (follow)

= _____

우리말과 같도록 문장을 완성하시오.

너는 너 자신을 믿어야 한다.

**You should trust _____.**

동사의 목적어가 '너 자신'이라는 주어와 같은 대상이므로 재귀대명사인 yourself를 쓴다.

정답: yourself

동사나 전치사의 목적어가 주어와 같은 대상일 때 목적어로 재귀대명사(~ 자신, 직접)를 쓴다.

|  | 단수 | 복수 |
|---|---|---|
| 1인칭 | myself | ourselves |
| 2인칭 | yourself | yourselves |
| 3인칭 | herself/himself/itself | themselves |

**[1-4] 우리말과 같도록 괄호 안의 말을 알맞게 배열하시오.**

1  그 작가들은 그들 자신에 관한 이야기들을 썼다. (wrote, themselves, the writers, about, stories)

=  _____

2  그녀는 그녀 자신을 잘 안다. (she, herself, knows)

=  _____ well.

3  우리는 우리 자신이 자랑스러웠다. (were, proud of, we, ourselves)

=  _____

4  나는 나 자신에게 새 기타를 사 주었다. (myself, a new guitar, bought, I)

=  _____

**[5-10] 우리말과 같도록 괄호 안의 말을 활용하여 문장을 완성하시오.**

5  그는 그 자신에게 화가 나 있다. (angry at)

=  _____

6  너 자신에 관해 이야기해 봐라. (talk about)

=  _____

7  나의 여동생은 그녀 자신을 천재라고 부른다. (call, a genius, my sister)

=  _____

8  그들은 우리에게 그들 자신을 소개했다. (introduce)

=  _____ to us.

9  우리는 우리 자신을 사랑해야 한다. (should, love)

=  _____

10  나는 나 자신의 사진을 찍었다. (a picture, take, of)

=  _____

우리말과 같도록 괄호 안의 말을 활용하여 문장을 완성하시오.

**여기 안은 어둡다. (dark)**

_____ **in here.**

어두움/밝음을 이르는 명암을 나타낼 때는 it을 주어로 쓴다.

정답: It is[It's] dark

날씨/계절/시간/요일/날짜/명암/거리를 나타낼 때 주어 자리에 it을 쓴다. 이때 it을 비인칭 주어라고 하며, '그것'이라고 해석하지 않는다.

**It** snowed last night. <날씨> 어젯밤에 눈이 왔다.

**It** is seven o'clock. <시간> 7시이다.

**It** is March 15. <날짜> 3월 15일이다.

**It** is three kilometers from here. <거리> 여기서 3킬로미터 거리이다.

**It** is spring now. <계절> 지금은 봄이다.

**It** is Saturday. <요일> 토요일이다.

**It** is bright outside. <명암> 밖은 밝다.

## [1-5] 괄호 안의 말을 활용하여 질문에 대한 답변을 완전한 문장으로 쓰시오.

**1** A: What time is it now? (4 P.M.)

B: _____

**2** A: What day was it yesterday? (Wednesday)

B: _____

**3** A: How was the weather this morning? (cloudy)

B: _____

**4** A: What season is it in Korea now? (winter)

B: _____

**5** A: What date is it? (November 24)

B: _____

## [6-10] 우리말과 같도록 괄호 안의 말을 활용하여 문장을 완성하시오.

**6** 밤에는 어둡다. (dark)

= _____ at night.

**7** 버스로 5분 걸린다. (take, minute)

= _____ by bus.

**8** 밖에 비가 오고 있다. (rain)

= _____ outside.

**9** 오늘 나의 생일이다. (my birthday)

= _____ today.

**10** 곧 여름이 될 것이다. (will, summer, be)

= _____ soon.

# 기출문제 풀고 짝문제로 마무리!

기출문제를 풀고 정답과 해설을 확인하세요. 짝문제를 풀면서 복습하고, 틀린 문제는 다시 틀리지 않도록 꼼꼼히 점검하세요.

## 문장 바꿔 쓰기
다음 문장을 괄호 안의 지시대로 바꿔 쓰시오.

| 기출문제 풀고 | 짝문제로 마무리 |
| --- | --- |

**01**
I bought a tomato.
(a를 seven으로)

→ _____

**02**
There are many fruits in the grocery store.
(의문문으로)

→ _____
_____

**03**
Jackson ate a slice of pizza.
(a를 four로)

→ _____

**04**
Those children are hiding behind the door.
(Those를 A로)

→ _____

**05**
This is my brother's room.
('나의'를 '그의'로)

→ _____

**06**
She moved a box.
(a를 three로)

→ _____

**07**
There is a cookie on the plate.
(의문문으로)

→ _____

**08**
A bowl of cereal is on the table.
(A를 Ten으로)

→ _____

**09**
Two men are swimming in the pool.
(Two를 A로)

→ _____

**10**
The doctor will call your name soon.
('너의'를 '그녀의'로)

→ _____

기출문제를 풀었으면 채점한 후, 짝문제를 푸세요. ▶

## 틀린 부분 고쳐 쓰기

다음 문장에서 어법상 틀린 부분을 바르게 고쳐 완전한 문장을 쓰시오.

### 기출문제 풀고

**11**

I have sister.
(나는 여동생이 한 명 있다.)

→ _____

**12**

A happiness is the purpose of my life.
(행복은 내 삶의 목적이다.)

→ _____

**13** 고난도

Please seat you in the chair.
(의자에 앉으십시오.)

→ _____

**14**

Susie and me will visit Busan next week.
(Susie와 나는 다음 주에 부산을 방문할 것이다.)

→ _____

**15**

There is a lot of paintings on the wall.
(벽에 많은 그림들이 있다.)

→ _____

**16** 고난도

Giraffes have long leg.
(기린들은 긴 다리를 가지고 있다.)

→ _____

### 짝문제로 마무리

**17**

She drew alligator.
(그녀는 악어 한 마리를 그렸다.)

→ _____

**18**

Do you need sugars?
(너는 설탕이 필요하니?)

→ _____

**19** 고난도

We enjoyed us at the concert.
(우리는 콘서트에서 즐겼다.)

→ _____

**20**

This necklace is my.
(이 목걸이는 나의 것이다.)

→ _____

**21**

There are lots of space under the bed.
(침대 밑에 많은 공간이 있다.)

→ _____

**22** 고난도

You have to brush your tooth every day.
(너는 매일 너의 이를 닦아야 한다.)

→ _____

## 주어진 단어 활용하여 영작하기

우리말과 같도록 괄호 안의 말을 활용하여 문장을 완성하시오.

기출문제 풀고 | 짝문제로 마무리

**23**

지난여름에는 매우 더웠다.
(very hot)

= _____ last summer.

**29**

지금은 5시이다.
(o'clock)

= _____ now.

**24**

그 소년은 거울 속의 그 자신을 보았다.
(the boy, see)

= _____ in the mirror.

**30**

그 선수들은 그들 자신을 칭찬했다.
(the player, praise)

= _____

**25**

잉크 두 병에 10달러가 든다.
(ink, dollar, cost)

= _____

**31**

나는 빵 여섯 덩어리를 원한다.
(want, bread)

= _____

**26**

어항에 물고기들 몇 마리가 있다.
(there, some fish)

= _____
   in the fishbowl.

**32**

이 도시에 유명한 박물관이 하나 있다.
(there, famous museum)

= _____
   in this city.

**27**

Robin은 계란 한 개를 깨뜨렸다.
(break, egg)

= _____

**33**

Emma는 오늘 오랜 친구 한 명을 만났다.
(meet, old friend)

= _____ today.

**28**

우리는 그녀에게 꽃들을 보냈다.
(send, flower)

= _____

**34**

그들은 우리에게 웃긴 이야기들을 말해 주었다.
(tell, funny story)

= _____

기출문제를 풀었으면 채점한 후, 짝문제를 푸세요. ▶

## 단어 배열하여 영작하기
우리말과 같도록 괄호 안의 말을 알맞게 배열하시오.

### 기출문제 풀고

**35**
너는 너 자신을 돌봐야 한다.
(should, yourself, take care of, you)

= _____

**36**
그는 그의 장난감 차들을 그들에게 주었다.
(to, gave, them, toy cars, he, his)

= _____

**37**
도서관에 학생들이 많이 없다.
(many students, there, not, are)

= _____
in the library.

### 짝문제로 마무리

**38**
Jessica는 그녀 자신이 부끄러웠다.
(ashamed of, Jessica, was, herself)

= _____

**39**
나의 이웃은 나에게 그의 것을 빌려주었다.
(neighbor, me, lent, my, his)

= _____

**40**
이 방에 가구가 많이 없다.
(is, much furniture, not, there)

= _____
in this room.

기출문제를 풀었으면 채점한 후, 짝문제를 푸세요. ▶

## 조건에 맞게 영작하기
우리말과 같도록 주어진 <조건>에 맞게 문장을 완성하시오.

### 기출문제 풀고

**41**
사진 여덟 장을 고르자.

─── <조건> ───
• choose, photo를 모두 활용하고, 필요에 따라 형태를 바꿀 것
• 숫자는 영어로 쓸 것

= _____

**42** 고난도
가위 한 개가 서랍 안에 있다.

─── <조건> ───
• in the drawer를 활용할 것
• 총 단어 수: 8단어

= _____

### 짝문제로 마무리

**43**
그 종업원은 식탁 위에 칼 다섯 개를 놓았다.

─── <조건> ───
• knife, the waiter, put을 모두 활용하고, 필요에 따라 형태를 바꿀 것
• 숫자는 영어로 쓸 것

= _____ on the table.

**44** 고난도
Brad는 청바지 한 벌을 입어 보았다.

─── <조건> ───
• try on을 활용할 것
• 총 단어 수: 7단어

= _____

기출문제를 풀었으면 채점한 후, 짝문제를 푸세요. ▶

CHAPTER 09 명사와 대명사 해커스 쓰기 자신감 Level 1

## 보기에서 단어 골라 영작하기
다음 질문에 대한 알맞은 답변 표현을 <보기>에서 골라 완전한 문장으로 쓰시오.

### 기출문제 풀고

<보기>
| nine miles | sunny | Thursday |

**45** A: What day is it today?
  B: _____

**46** A: How many miles is it from here to the post office?
  B: _____

기출문제를 풀었으면 채점한 후, 짝문제를 푸세요. ▶

### 짝문제로 마무리

<보기>
| April 17 | too dark | autumn |

**47** A: What season is it now?
  B: _____

**48** A: May I turn on the light?
  B: Of course. _____
    in here.

## 그림 보고 영작하기
다음 그림을 보고 정확한 수량을 표현하여 문장을 완성하시오. (숫자는 영어로 쓸 것)

### 기출문제 풀고

**49**

There _____
over the pond. (bridge)
There _____
next to the lamppost. (bench)

**50** 고난도

I bought _____ soda and
_____ cake.

기출문제를 풀었으면 채점한 후, 짝문제를 푸세요. ▶

### 짝문제로 마무리

**51**

There _____
in the garden. (tree)
There _____
on a tree. (bird)

**52** 고난도

We ordered _____ coffee
and _____ salad.

# CHAPTER

# 10

# 형용사, 부사, 비교

기출문제 **풀고** 짝문제**로 마무리!**

우리말과 같도록 괄호 안의 말을 알맞게 배열하시오.

그는 귀여운 고양이를 기른다. (cute, a, cat)

# He has _____.

형용사는 명사 앞에서 명사를 꾸미며, a(n)/the가 있는 경우 「a(n)/the + 형용사 + 명사」 순으로 쓴다.

정답: a cute cat

- 명사 수식: 형용사는 주로 명사 앞에서 명사를 꾸민다. 단, -thing/-one/-body로 끝나는 대명사를 꾸밀 때는 형용사를 대명사 뒤에 쓴다.
- 보어 역할: 형용사는 주격 보어나 목적격 보어 자리에도 쓸 수 있다. 이때 형용사는 주어나 목적어를 보충 설명하는 역할을 한다.

## [1-4] 괄호 안의 단어를 알맞은 위치에 넣어 문장을 다시 쓰시오.

1  We are looking for someone. (smart)

→ _____

2  Andy bought a bottle. (big)

→ _____

3  Did you see anybody there? (famous)

→ _____

4  That musician will perform soon. (young)

→ _____

## [5-11] 우리말과 같도록 괄호 안의 말을 알맞게 배열하시오.

5  얼음은 차갑다. (is, ice, cold)

= _____

6  그는 우리에게 좋은 소식을 전했다. (us, the, told, good, he, news)

= _____

7  Olivia는 그녀의 연필을 날카롭게 만들었다. (made, sharp, Olivia, pencil, her)

= _____

8  그 문제는 심각한 것은 아니었다. (nothing, was, serious, the problem)

= _____

9  그녀의 계획이 완벽하게 들리니? (sound, plan, her, perfect, does)

= _____

10  나의 삼촌은 소형차를 운전하신다. (uncle, a, drives, car, small, my)

= _____

11  그녀는 그가 영리하다고 생각한다. (him, she, clever, thinks)

= _____

## POINT 2 many, much, a few, a little

우리말과 같도록 괄호 안의 말을 활용하여 문장을 완성하시오.

세계에는 많은 나라들이 있다. (country)

**There _____ in the world.**

'많은'을 의미하면서 복수명사(나라들) 앞에 올 수 있는 형용사는 many이다.

정답: are many countries

- many/much: '많은'이라는 의미로 명사를 꾸밀 때 many/much를 쓴다. 단, many는 복수명사 앞에 쓰고 much는 셀 수 없는 명사 앞에 쓴다.
- a few/a little: '약간의, 조금 있는'이라는 의미로 명사를 꾸밀 때 a few/a little을 쓴다. 단, a few는 복수명사 앞에 쓰고 a little은 셀 수 없는 명사 앞에 쓴다.

### [1-4] 우리말과 같도록 괄호 안의 말을 알맞게 배열하시오.

1 나의 엄마는 나에게 약간의 선물들을 주셨다. (gave, a, my, mom, presents, me, few)

= _____

2 너는 많은 물을 마시니? (water, much, you, do, drink)

= _____

3 나는 약간의 시간이 필요하다. (a, time, need, little, I)

= _____

4 우리는 많은 나무들을 심었다. (many, planted, we, trees)

= _____

### [5-11] 우리말과 같도록 many/much/a few/a little과 괄호 안의 말을 활용하여 문장을 완성하시오.

5 그 아기는 어젯밤에 많은 잠을 자지 못했다. (sleep, get, the baby)

= _____ last night.

6 약간의 소스를 만들자. (sauce, let's, make)

= _____

7 그 가수는 많은 팬들이 있다. (have, the singer, fan)

= _____

8 그녀는 그녀의 여행 동안 약간의 사진들을 찍었다. (take, picture)

= _____ during her trip.

9 잔 안에 약간의 주스가 있다. (there, juice)

= _____ in the glass.

10 Rachel은 많은 체중이 늘지 않았다. (gain, weight)

= _____

11 그는 약간의 복숭아들을 먹었다. (eat, peach)

= _____

우리말과 같도록 괄호 안의 말을 알맞게 배열하시오.

**나는 어제 정말 피곤했다. (was, tired, I, really)**

_____ **yesterday.**

부사는 형용사 앞에서 형용사를 꾸민다.

정답: I was really tired

<동사 수식> The man *fixed* the car **quickly**.  그 남자는 그 차를 빠르게 수리했다.

<형용사 수식> The food was **really** *delicious*.  그 음식은 정말 맛있었다.

<다른 부사 수식> She sings **very** *well*.  그녀는 노래를 매우 잘한다.

<문장 전체 수식> **Suddenly**, *Jack left the classroom*.  갑자기, Jack이 교실을 나갔다.

**TIP** 부사는 대부분 형용사에 -ly를 붙여 만들지만, 예외의 경우도 있다.
- 「자음 + y」로 끝나는 형용사: y를 i로 바꾸고 + -ly(happy - happ**ily**)
- -le로 끝나는 형용사: e를 없애고 + -y(simple - simpl**y**)

## [1-4] 우리말과 같도록 괄호 안의 단어를 알맞은 위치에 넣어 문장을 다시 쓰시오. (필요시 형태를 바꿀 것)

**1**　The bus arrived late. (too) 버스가 너무 늦게 도착했다.

　　→ _____

**2**　Keep your room warm. (comfortable) 너의 방을 편안히 따뜻하게 유지해라.

　　→ _____

**3**　The boy touched the cat. (gentle) 그 소년은 그 고양이를 부드럽게 만졌다.

　　→ _____

**4**　She didn't fall on the ice. (lucky) 운이 좋게도, 그녀는 빙판 위에서 넘어지지 않았다.

　　→ _____

## [5-9] 우리말과 같도록 괄호 안의 말을 알맞게 배열하시오.

**5**　우리는 규칙적으로 조깅하러 간다. (we, jogging, go, regularly)

　　= _____

**6**　점심은 거의 준비되었다. (almost, is, lunch, ready)

　　= _____

**7**　이상하게도, 그 마을은 매우 조용했다. (was, strangely, quiet, very, the village)

　　= _____

**8**　그는 그 문제를 정말 쉽게 풀었다. (solved, so, he, easily, the problem)

　　= _____

**9**　그들은 그 언덕을 천천히 올라갔다. (the hill, they, slowly, climbed)

　　= _____

우리말과 같도록 괄호 안의 말을 활용하여 문장을 완성하시오.

그녀는 보통 오전 7시에 일어난다. (get up)

_____ at seven A.M.

'보통'을 의미하는 부사는 usually이며, usually와 같은 빈도부사가 일반동사와 함께 쓰일 때는 일반동사 앞에 쓴다.

정답: She usually gets up

다음과 같은 빈도부사는 일반동사 앞 또는 be동사나 조동사 뒤에 쓴다.

100% ██████████████████████████████████████████ 0%

always(항상)　usually(보통, 대개)　often(종종, 자주)　sometimes(때때로, 가끔)　seldom(거의 ~않다)　never(결코 ~않다)

TIP 의문문의 경우, 빈도부사는 주어 바로 뒤에 쓴다.
　　Do *you* **sometimes** play soccer? 너는 가끔 축구를 하니?
　　Is *her room* **usually** clean? 그녀의 방은 보통 깨끗하니?

**[1-4] 우리말과 같도록 괄호 안의 말을 알맞게 배열하시오.**

1　나의 아빠는 거의 패스트푸드를 드시지 않는다. (eats, fast food, my, seldom, dad)

= _____

2　그 고양이는 종종 지붕 위에 있니? (on the roof, the cat, often, is)

= _____

3　우리는 가끔 별똥별들을 볼 수 있다. (sometimes, shooting stars, can, we, see)

= _____

4　그는 항상 친절하다. (is, he, friendly, always)

= _____

**[5-10] 우리말과 같도록 괄호 안의 말을 활용하여 문장을 완성하시오.**

5　나의 엄마는 가끔 나를 학교에 데려다주신다. (my mom, take)

= _____ to school.

6　곰들은 겨울 동안 항상 잠을 자니? (bears, sleep)

= _____ during the winter?

7　그의 이야기들은 거의 사실이 아니다. (his stories, true)

= _____

8　너는 종종 스트레칭을 해야 한다. (should, stretch)

= _____

9　너의 남동생은 결코 학교에 늦지 않니? (your brother, late for school)

= _____

10　그녀는 보통 주말에 바쁘다. (busy)

= _____ on weekends.

우리말과 같도록 괄호 안의 말을 활용하여 문장을 완성하시오.

거북이는 강아지보다 더 오래 산다. (long)

# Turtles live _____ dogs.

'···보다 더 ~하게'라는 의미를 나타낼 때는 「비교급 + than」 형태로 쓴다. long의 비교급은 longer이다.

정답: longer than

'···보다 더 ~한/하게'라는 의미로 비교하는 두 대상 간 정도의 차이를 나타낼 때 「형용사/부사의 비교급 + than」 형태로 쓴다.

| 비교급 규칙 변화 | | |
|---|---|---|
| + -er | hard - hard**er** | tall - tall**er** |
| -e + -r | cute - cut**er** | nice - nic**er** |
| 「자음 + y」→ y를 i로 바꾸고 + -er | happy - happ**ier** | scary - scar**ier** |
| 「단모음 + 단자음」으로 끝날 때 → 마지막 자음을 한 번 더 쓰고 + -er | wet - wet**ter** | fat - fat**ter** |
| 2음절 이상일 때 → more + 원급 | famous - **more** famous | |

| 비교급 불규칙 변화 |
|---|
| good/well - **better** |
| bad/ill - **worse** |
| many/much - **more** |
| little - **less** |
| |

## [1-4] 우리말과 같도록 괄호 안의 말을 알맞게 배열하시오.

1  치타는 사자보다 더 빨리 달린다. (lions, run, than, cheetahs, faster)

= _____

2  이 드레스가 저것보다 더 화려하다. (more, that one, is, than, colorful, this dress)

= _____

3  나는 배보다 사과를 더 좋아한다. (apples, pears, more, I, than, like)

= _____

4  그 소년은 그의 아빠보다 더 시끄럽게 코를 골았다. (than, noisily, snored, his, more, the boy, father)

= _____

## [5-9] 우리말과 같도록 괄호 안의 말을 활용하여 문장을 완성하시오.

5  너의 입이 그의 것보다 더 크다. (your mouth, big)

= _____ his.

6  새로운 주제가 원래의 것보다 더 흥미롭게 들린다. (the original one, sound, the new topic, interesting)

= _____

7  나의 엄마는 나보다 더 적게 드신다. (eat, little, my mother)

= _____ me.

8  러시아는 중국보다 더 크다. (large)

= _____

9  나는 그녀보다 그를 더 잘 안다. (know, well)

= _____ her.

우리말과 같도록 괄호 안의 말을 활용하여 문장을 완성하시오.

'가장 ~한'이라는 의미를 나타낼 때는 「the + 최상급」 형태로 쓴다. wise의 최상급은 wisest이다.

> 나의 언니는 그녀의 친구들 중에서 가장 현명하다. (wise)
>
> **My sister is _____ of her friends.**

정답: the wisest

'가장 ~한/하게'라는 의미로 셋 이상의 비교 대상 중 하나의 정도가 가장 높음을 나타낼 때 「the + 형용사/부사의 최상급」 형태로 쓴다. 최상급 뒤에는 보통 「in + 장소/집단」 형태나 「of + 복수명사/기간」 형태의 비교 범위를 나타내는 말이 온다.

| 최상급 규칙 변화 | | |
|---|---|---|
| + -est | hard - hard**est** | tall - tall**est** |
| -e + -st | cute - cut**est** | nice - nic**est** |
| 「자음 + y」 → y를 i로 바꾸고 + -est | happy - happ**iest** | scary - scar**iest** |
| 「단모음 + 단자음」으로 끝날 때 → 마지막 자음을 한 번 더 쓰고 + -est | wet - wet**test** | fat - fat**test** |
| 2음절 이상일 때 → most + 원급 | famous - **most** famous | |

| 최상급 불규칙 변화 |
|---|
| good/well - **best** |
| bad/ill - **worst** |
| many/much - **most** |
| little - **least** |

**[1-4] 우리말과 같도록 괄호 안의 말을 알맞게 배열하시오.**

1  인천대교는 한국에서 가장 긴 다리이다. (is, the, in Korea, bridge, the Incheon Bridge, longest)

=  _____

2  정현이는 우리 중에서 영어를 가장 유창하게 말한다. (Jeonghyun, of us, English, fluently, the, speaks, most)

=  _____

3  Harry는 그의 반 친구들 중에서 가장 많은 강아지들을 기른다. (the, dogs, Harry, most, of his classmates, has)

=  _____

4  그것은 그 도시에서 가장 인기 있는 식당이다. (restaurant, most, is, the, it, popular, in the city)

=  _____

**[5-9] 우리말과 같도록 괄호 안의 말을 활용하여 문장을 완성하시오.**

5  토요일이 일주일 중 가장 바쁜 날이었다. (busy, day)

=  _____ of the week.

6  나는 세상에서 가장 무서운 롤러코스터를 탔다. (ride, roller coaster, terrifying)

=  _____ in the world.

7  그녀는 그녀의 동아리에서 가장 춤을 잘 춘다. (dance, well)

=  _____ in her club.

8  수학은 나에게 모든 과목들 중에서 가장 어렵다. (math, difficult)

=  _____ of all subjects for me.

9  그는 그의 가족 중에서 가장 빠르게 걷는다. (walk, fast)

=  _____ in his family.

# 기출문제 풀고 짝문제로 마무리!

기출문제를 풀고 정답과 해설을 확인하세요. 짝문제를 풀면서 복습하고, 틀린 문제는 다시 틀리지 않도록 꼼꼼히 점검하세요.

## 보기에서 단어 골라 영작하기
우리말과 같도록 <보기>에서 알맞은 말을 골라 빈칸에 쓰시오. (필요시 단어를 추가하거나 형태를 바꿀 것)

| 기출문제 풀고 | 짝문제로 마무리 |
|---|---|

**<보기>**

| sad | slim | few |
|---|---|---|
| nice | hot | many |

**<보기>**

| sunny | little | warm |
|---|---|---|
| bad | big | surprising |

**01** 그 패션모델은 날씬해 보인다.

= The fashion model looks

_____.

**02** 오늘은 어제보다 더 덥다.

= Today is _____ than
yesterday.

**03** 슬프게도, 우리는 우리의 계획들을 취소해야 했다.

= _____, we had to cancel
our plans.

**04** 저것은 이 호텔에서 가장 좋은 방이다.

= That is the _____ room in
this hotel.

**05** Elena는 그보다 더 많은 만화책들을 가지고 있다.

= Elena has _____ comic
books than him.

**06** 우리 학교의 약간의 학생들은 프랑스어를 배우고
있다.

= _____ students in our
school are learning French.

**07** 아기의 방을 따뜻하게 유지해라.

= Keep the baby's room

_____.

**08** 내일은 오늘보다 더 화창할 것이다.

= Tomorrow will be _____
than today.

**09** 놀랍게도, 그들은 우승을 차지했다.

= _____, they won the
championship.

**10** 코끼리는 그 동물원에서 가장 큰 동물이다.

= Elephants are the _____
animals in the zoo.

**11** 나의 감기가 너의 감기보다 더 심하다.

= My cold is _____ than
yours.

**12** 그는 매달 약간의 돈을 저축한다.

= He saves _____ money
every month.

기출문제를 풀었으면 채점한 후, 짝문제를 푸세요. ▶

## 틀린 부분 고쳐 쓰기
다음 문장에서 어법상 틀린 부분을 바르게 고쳐 완전한 문장을 쓰시오.

| 기출문제 풀고 | 짝문제로 마무리 |

**13**

Health is important thing in my life.
(건강은 내 삶에서 가장 중요한 것이다.)

→ _____

_____

**14**

She peeled the apple careful.
(그녀는 조심스럽게 사과를 깎았다.)

→ _____

**15**

I want to do special something this summer.
(나는 올여름에 특별한 것을 하고 싶다.)

→ _____

_____

**16**

The man caught much fish.
(그 남자는 많은 물고기들을 잡았다.)

→ _____

**17**

My brother lies never to me.
(나의 남동생은 절대 나에게 거짓말하지 않는다.)

→ _____

**18**

Science class was boringer than English class. (과학 수업은 영어 수업보다 더 지루했다.)

→ _____

_____

**19**

This is new product of the four.
(이것은 네 가지 중에서 가장 최신 제품이다.)

→ _____

_____

**20**

My family is living happy.
(나의 가족은 행복하게 살고 있다.)

→ _____

**21**

Is there strange anything in the box?
(그 상자 안에 이상한 것이 있니?)

→ _____

_____

**22**

Don't put too many salt in the soup.
(수프에 너무 많은 소금을 넣지 마라.)

→ _____

**23**

We usually can see tulips in spring.
(우리는 보통 봄에 튤립을 볼 수 있다.)

→ _____

**24**

This cookie is deliciouser than that cookie.
(이 쿠키는 저 쿠키보다 더 맛있다.)

→ _____

_____

CHAPTER 10
형용사, 부사, 비교 해카스 쓰기 자신감 Level 1

## 조건에 맞게 영작하기

우리말과 같도록 주어진 <조건>에 맞게 문장을 완성하시오.

**25**

Kate는 둥근 거울 한 개를 걸고 있다.

─ <조건> ─
- hang, round를 활용할 것
- a를 포함할 것

= _____

**26** 고난도

Eric이 그들 중에서 가장 크게 웃었다.

─ <조건> ─
- laugh, loudly를 활용할 것
- of와 in 중 선택하여 쓸 것

= _____

**27**

그는 그녀에게 약간의 충고를 해 주었다.

─ <조건> ─
- give, advice를 활용할 것
- a few와 a little 중 선택하여 쓸 것

= _____
_____

**28**

귤은 레몬보다 더 단맛이 난다.

─ <조건> ─
- taste, lemons, sweet, tangerines를 활용할 것

= _____
_____

**29**

나의 여동생은 몹시 화가 나 있다.

─ <조건> ─
- angry를 활용할 것
- terrible을 변형하여 쓸 것

= _____

**30**

바다에 거대한 배 한 척이 있다.

─ <조건> ─
- ship, there, huge를 활용할 것
- a를 포함할 것

= _____ in the sea.

**31** 고난도

나는 나의 가족 중에서 가장 느리게 먹는다.

─ <조건> ─
- eat, slowly를 활용할 것
- of와 in 중 선택하여 쓸 것

= _____

**32**

그들은 그 섬에서 며칠을 보냈다.

─ <조건> ─
- spend, day를 활용할 것
- a few와 a little 중 선택하여 쓸 것

= _____
on the island.

**33**

오토바이는 자전거보다 더 위험하다.

─ <조건> ─
- motorcycles, bicycles, dangerous를 활용할 것

= _____
_____

**34**

이 건물은 완벽하게 안전하다.

─ <조건> ─
- this building, safe를 활용할 것
- perfect를 변형하여 쓸 것

= _____

기출문제를 풀었으면 채점한 후, 짝문제를 푸세요. ▶

## 표 보고 영작하기
다음 표를 보고 괄호 안의 말을 활용하거나 <보기>에서 필요한 말을 골라 문장을 완성하시오.

### 기출문제 풀고

**[35-38] 네 명의 친구들에 대해 조사한 표**

|  | Ariana | Nick | James | Tina |
|---|---|---|---|---|
| 키 | 143 cm | 155 cm | 150 cm | 148 cm |
| 전체 성적 | B | B | A | C |
| 나이 | 14 | 16 | 16 | 15 |

35 Nick is _____ of
   them all. (tall)

36 Ariana is _____
   Tina. (short)

37 James has _____
   of them all. (good grade)

38 Tina is _____
   Ariana. (old)

**[39-40] 보미의 주간 일정표**

|  | Mon | Tue | Wed | Thu | Fri |
|---|---|---|---|---|---|
| study English | √ | √ | √ | √ | √ |
| read a novel |  |  | √ |  |  |

——— <보기> ———
always     often     seldom

39 Q: How often does Bomi study English?
   A: She _____.

40 Q: How often does Bomi read a novel?
   A: She _____.

### 짝문제로 마무리

**[41-44] 세 대의 노트북을 비교한 표**

|  | Model A | Model B | Model C |
|---|---|---|---|
| 무게 | 1.6 kg | 1.8 kg | 1.2 kg |
| 가격 | $225 | $376 | $526 |
| 인기도 | ★★ | ★★★ | ★ |

41 Model B is _____
   of the three. (heavy)

42 Model A is _____
   Model B. (light)

43 Model C is _____
   of the three. (expensive)

44 Model A is _____
   Model C. (popular)

**[45-46] 지성의 주간 운동 계획표**

|  | Mon | Tue | Wed | Thu | Fri |
|---|---|---|---|---|---|
| cycle |  |  |  | √ | √ |
| swim | √ | √ | √ |  | √ |

——— <보기> ———
never     usually     sometimes

45 Q: How often does Jisung cycle?
   A: He _____.

46 Q: How often does Jisung swim?
   A: He _____.

기출문제를 풀었으면 채점한 후, 짝문제를 푸세요. ▶

## 단어 배열하여 영작하기
우리말과 같도록 괄호 안의 말을 알맞게 배열하시오.

| 기출문제 풀고 | 짝문제로 마무리 |

**47**

> Billy는 꽤 잘 달린다.
> (runs, well, pretty, Billy)

= _____

**49**

> 그것은 그다지 오래 걸리지 않았다.
> (very, didn't, take, it, long)

= _____

**48**

> 이 경기장은 종종 사람들로 가득 차니?
> (this stadium, full of, often, is, people)

= _____

**50**

> 너는 절대 너의 마음을 바꾸지 않을 거니?
> (will, mind, never, your, you, change)

= _____

기출문제를 풀었으면 채점한 후, 짝문제를 푸세요. ▶

## 그림 보고 영작하기
다음 그림을 보고 괄호 안의 말을 활용하여 문장을 완성하시오.

| 기출문제 풀고 | 짝문제로 마무리 |

**51**

Helen's hair is _____
Emma's hair. (long)

**53**

A baseball is _____
a soccer ball. (small)

**52** 고난도

_____
of the three. (strong)

**54** 고난도

_____
of the three. (ice cream, cheap)

기출문제를 풀었으면 채점한 후, 짝문제를 푸세요. ▶

# CHAPTER
# 11

# 전치사

**기출문제 풀고** 짝문제**로 마무리!**

우리말과 같도록 괄호 안의 말을 활용하여 문장을 완성하시오.

그 강아지는 침대 밑에 숨었다. (the bed)

**The dog hid** _____.

'~ 밑에, ~ 아래에'라는 의미로 특정 명사의 위치를 나타낼 때는 전치사 under를 쓴다. 전치사는 (대)명사 앞에 오며, 전치사 뒤에 대명사를 쓸 때는 목적격으로 쓴다.

정답: under the bed

| at ~에, ~에서<br>(비교적 좁은 장소나 하나의 지점) | at the station<br>at the corner | over (떨어져서 바로) ~ 위에 | over the river |
| --- | --- | --- | --- |
| | | under (떨어져서 바로) ~ 아래에 | under the desk |
| on ~에, ~ 위에<br>(표면에 접촉한 상태) | on the wall<br>on the sofa | in front of ~ 앞에 | in front of the store |
| | | behind ~ 뒤에 | behind the door |
| in ~에, ~ 안에<br>(비교적 넓은 장소나 공간의 내부) | in Seoul<br>in the box | next to, by ~ 옆에 | next to[by] the TV |
| | | between ~ 사이에 | between two buildings |

**TIP** 방향을 나타내는 전치사
- into(~ 안으로), out of(~ 밖으로): **into** the room, **out of** his pocket
- around(~ 주위에, 빙 돌아), across(~을 가로질러): **around** the island, **across** the street  * across from(~의 맞은편에): **across from** the park
- from(~으로부터, ~에서), to(~으로, ~까지): **from** France, **to** Rome

**[1-4] 우리말과 같도록 괄호 안의 말을 알맞게 배열하시오.**

**1** 고양이 한 마리가 나무 뒤에 있다. (cat, is, the tree, a, behind)

= _____

**2** 집 밖으로 나가자. (out, let's, the house, of, get)

= _____

**3** 우리는 강 옆에 텐트 두 개를 쳤다. (the river, two, we, set up, by, tents)

= _____

**4** 한 노인이 내 앞에 앉아 계신다. (old, is, of, an, front, man, me, sitting, in)

= _____

**[5-8] 우리말과 같도록 괄호 안의 말을 활용하여 영작하시오.**

**5** 그는 컵 안으로 커피를 부었다. (coffee, the cup, pour)

= _____

**6** 비행기가 공항에 착륙하고 있다. (land, the plane, the airport)

= _____

**7** 그 교회는 은행 옆에 있다. (the bank, next, the church)

= _____

**8** Nora는 천장에 있는 파리 한 마리를 잡았다. (a fly, the ceiling, catch)

= _____

## POINT 2 시간을 나타내는 전치사

| | |
|---|---|
| 우리말과 같도록 빈칸에 알맞은 전치사를 쓰시오.<br><br>그 카페는 7월 1일에 문을 열 것이다.<br><br>**The café will open _____ July 1.** | '~에'라는 의미로 날짜 앞에 쓸 수 있는 전치사는 on이다.<br><br>정답: on |

| | | | |
|---|---|---|---|
| **at** ~에<br>(시각, 시점) | **at** 7:30 P.M.<br>**at** noon | **from ~ to …** ~부터 …까지 | **from** 3 P.M. **to** 6 P.M. |
| **on** ~에<br>(요일, 날짜, 기념일) | **on** Tuesday<br>**on** April 4<br>**on** my birthday | **before** ~ 전에 | **before** dinner |
| | | **after** ~ 후에 | **after** this class |
| **in** ~에<br>(월, 계절, 연도, 세기, 아침·<br>오후·저녁)<br>* 특정한 날의 아침·오후·<br>저녁은 on을 쓴다. | **in** March<br>**in** fall<br>**in** 2019<br>**in** the 21st century<br>**in** the morning | **for** ~ 동안<br>* 뒤에 숫자를 포함한 기간 표현이 온다. | **for** three hours |
| | | **during** ~ 동안<br>* 뒤에 특정 기간을 나타내는 명사가 온다. | **during** summer vacation |

**[1–10] 우리말과 같도록 괄호 안의 말을 활용하여 문장을 완성하시오.**

1  내가 주말 후에 이 책들을 반납해도 되니? (return, can, these books, the weekend)

= _____

2  그 가수는 12월에 콘서트를 열 것이다. (a concert, hold, the singer, will)

= _____

3  그녀는 그녀의 점심시간 동안에 산책을 했다. (her lunch break, a walk, take)

= _____

4  그들은 새해 첫날에 스키 타러 갈 것이다. (go, New Year's Day, will, ski)

= _____

5  우리는 일몰 전에 그 궁전을 방문해야 한다. (the palace, sunset, visit, have to)

= _____

6  김 선생님은 8년 동안 과학을 가르치셨다. (science, years, teach)

= Mr. Kim _____.

7  Kevin은 저녁에 샤워를 한다. (the evening, take, a shower)

= _____

8  그 종은 9시에 울린다. (the bell, o'clock, ring)

= _____

9  나의 가족은 2014년부터 2020년까지 LA에 살았다. (my family, live)

= _____

10  나는 일요일에 내가 가장 좋아하는 드라마를 볼 것이다. (watch, will, my favorite drama)

= _____

우리말과 같도록 빈칸에 알맞은 전치사를 쓰시오.

'~을 가진'이라는 의미를 나타내는 전치사는 with이다.

금발 머리를 가진 저 소녀는 누구니?

# Who is that girl _____ blonde hair?

정답: with

| with | ~과 함께 | **with** my parents | by | ~을 타고(교통수단) | **by** bus |
| | ~을 가진, ~이 달린 | **with** big eyes | | ~으로(방법·수단) | **by** hand |
| without | ~ 없이 | **without** food | about | ~에 관해 | **about** the problem |
| like | ~처럼 | **like** a monkey | of | ~의(소유·소속) | the top **of** the hill |
| | ~ 같은 | sports **like** soccer | | ~ 중의(부분) | some **of** my money |

## [1-10] 우리말과 같도록 괄호 안의 말을 활용하여 영작하시오.

1 Ron은 자전거를 타고 체육관에 갔다. (go, bicycle, the gym)

= _____

2 그 안내인은 독도에 관해 이야기하고 있다. (Dokdo, the guide, talk)

= _____

3 나의 목표들 중의 하나는 만점을 받는 것이다. (my goals, get, one, to, a perfect score)

= _____

4 그의 목소리는 꿀처럼 달콤하다. (sweet, his voice, honey)

= _____

5 너는 너의 친구들과 함께 저녁을 먹을 거니? (going, your friends, have, dinner)

= _____

6 나의 엄마는 항상 설탕 없이 커피를 드신다. (coffee, sugar, drink, always, my mother)

= _____

7 그 병의 뚜껑을 열어라. (open, the bottle, the lid)

= _____

8 너는 우리에게 이메일로 연락할 수 있다. (e-mail, contact, can)

= _____

9 나는 후드가 달린 재킷을 사고 싶다. (buy, want, a hood, to, a jacket)

= _____

10 그녀는 레몬 같은 신 과일들을 싫어한다. (lemons, hate, sour fruits)

= _____

우리말과 같도록 괄호 안의 말을 활용하여 문장을 완성하시오.

그 도시는 아름다운 해변들로 유명하다. (famous)

**The city _____ its beautiful beaches.**

형용사 famous로 '~으로 유명하다'라는 의미를 나타낼 때는 be famous for로 쓴다.

정답: is famous for

- 형용사와 함께 쓰이는 전치사 관용 표현

| | | |
|---|---|---|
| be good at ~을 잘하다 | be angry at ~에 화를 내다 | be famous for ~으로 유명하다 |
| be late for ~에 늦다 | be good/bad for ~에 좋다/나쁘다 | be sorry for[about] ~에 대해 미안해하다 |
| be ready for ~에 준비가 되다 | be busy with ~으로 바쁘다 | be careful with ~을 조심하다 |
| be afraid of ~을 무서워하다 | be proud of ~을 자랑스러워하다 | be full of ~으로 가득 차 있다 |

- 동사와 함께 쓰이는 전치사 관용 표현

| | | | |
|---|---|---|---|
| listen to ~을 듣다 | look at ~을 보다 | look for ~을 찾다 | laugh at ~을 보고[듣고] 웃다[비웃다] |
| wait for ~을 기다리다 | ask for ~을 요청하다 | spend 시간/돈 on ~에 시간/돈을 쓰다 | thank ... for ~에 대해 …에게 감사해하다 |

**[1-10] 우리말과 같도록 괄호 안의 말을 활용하여 영작하시오.**

1  새 컴퓨터에 너무 많은 돈을 쓰지 마라. (too much money, spend, a new computer)

=  _____

2  그 선생님은 그에게 화를 내셨다. (the teacher, angry)

=  _____

3  Peter는 그의 방에서 음악을 듣고 있다. (his room, listen, music)

=  _____

4  박쥐들은 밤에 먹이를 찾는다. (night, bats, food, look)

=  _____

5  그 박물관은 관광객들로 가득 찼다. (tourists, full, the museum)

=  _____

6  너는 왜 도움을 요청하지 않았니? (why, help, ask)

=  _____

7  그녀는 어떠한 농담에도 웃지 않았다. (laugh, any jokes)

=  _____

8  신선한 야채들을 먹는 것은 우리의 건강에 좋다. (our health, fresh vegetables, to, good, eat)

=  _____

9  저 파란 하늘을 봐. (look, that blue sky)

=  _____

10  너는 너 자신을 자랑스러워해야 한다. (should, proud)

=  _____

# 기출문제 풀고 짝문제로 마무리!

기출문제를 풀고 정답과 해설을 확인하세요. 짝문제를 풀면서 복습하고, 틀린 문제는 다시 틀리지 않도록 꼼꼼히 점검하세요.

## 주어진 단어 활용하여 영작하기

우리말과 같도록 괄호 안의 말을 활용하여 문장을 완성하시오.

| 기출문제 풀고 | 짝문제로 마무리 |
|---|---|

**01**

그들은 두 집 사이에 나무를 심었다.
(a tree, plant, the two houses)

= _____

_____

**06**

알파벳에서 D는 C와 E 사이에 온다.
(come)

= _____

C and E in the alphabet.

**02**

그 학생들은 그들의 숙제로 바빴다.
(the students, their homework, busy)

= _____

_____

**07**

플라스틱은 환경에 나쁘다.
(the environment, bad, plastic)

= _____

_____

**03**

너는 자정 전에 잠자리에 들어야 한다.
(go to bed, midnight, should)

= _____

**08**

우리는 수학 수업 전에 역사 수업을 들었다.
(history class, have, math class)

= _____

**04**

Brian은 그의 반 친구들과 함께 축구를 할 것이다.
(soccer, his classmates, play, will)

= _____

_____

**09**

안경을 낀 저 소년은 누구니?
(that boy, glasses, who)

= _____

**05**

그녀는 버스 정류장에서 그녀의 잃어버린 지갑을 찾고 있다.
(her lost wallet, look, the bus stop)

= _____

_____

**10**

그 선생님은 교실에서 우리를 기다리고 계시니?
(the teacher, the classroom, wait)

= _____

_____

기출문제를 풀었으면 채점한 후, 짝문제를 푸세요. ▶

## 보기에서 단어 골라 영작하기

우리말과 같도록 <보기 A>와 <보기 B>에서 알맞은 말을 하나씩 골라 빈칸에 쓰시오. (필요시 형태를 바꿀 것)

### 기출문제 풀고

**<보기 A>**

| run | ready | clean | save | carry | sleep |

**<보기 B>**

| to | like | after | next to | for | of | from |

**11** 저녁 식사 후에 너의 방을 청소해라.

= _____ your room
_____ dinner.

**12** 그 아기는 강아지 옆에서 잠을 자고 있다.

= The baby is _____
_____ the puppy.

**13** 현수는 그의 용돈의 절반을 저축할 것이다.

= Hyunsoo will _____ half
_____ his pocket money.

**14** 그 선수들은 경기할 준비가 되었다.

= The players are _____
_____ the game.

**15** 그들은 학교에서 도서관까지 뛰어갔다.

= They _____ _____
school _____ the library.

**16** 산타클로스처럼, 그는 크고 빨간 가방을 들고 다닌다.

= _____ Santa Claus, he
_____ a big red bag.

### 짝문제로 마무리

**<보기 A>**

| move | listen | write | travel | sorry | put |

**<보기 B>**

| by | for | from | of | after | like | to |

**17** 나의 가족은 며칠 후에 이사할 것이다.

= My family will _____
_____ a few days.

**18** Jessie는 문 옆에 큰 화분을 두었다.

= Jessie _____ a big pot
_____ the door.

**19** 당신의 가운데 이름의 첫 글자를 써 주세요.

= Please _____ the first letter
_____ your middle name.

**20** 그는 그 문제에 대해 미안해했다.

= He was _____ _____
the problem.

**21** 우리는 인도에서 싱가포르까지 여행했다.

= We _____ _____
India _____ Singapore.

**22** 나는 힙합, 재즈, 록과 같은 다양한 종류의 음악을 듣는다.

= I _____ to various types of
music _____ hip-hop, jazz,
and rock.

## 틀린 부분 고쳐 쓰기

다음 ⓐ~ⓓ 중 어법상 틀린 문장 두 개를 찾아 각 기호와 바르게 고친 문장을 쓰시오.

**기출문제 풀고**

**23** 고난도
ⓐ It rained during two days.
ⓑ I like the sound of trumpets.
ⓒ She put a stamp over the envelope.
ⓓ Elena comes from France.

(　　　) → _____
(　　　) → _____

**24**
ⓐ Don't throw trash out of the window.
ⓑ Children must be careful to fire.
ⓒ I climbed to the top of the mountain yesterday.
ⓓ Jack went to the park with she.

(　　　) → _____
(　　　) → _____

**25** 고난도
ⓐ The boy swam across the lake.
ⓑ My father drank a glass of wine at dinnertime.
ⓒ It takes 20 minutes for subway.
ⓓ Let's meet in Friday morning.

(　　　) → _____
(　　　) → _____

**26**
Dear Jake,
ⓐ My birthday is in June 17. ⓑ Can you come to my birthday party? ⓒ The party will be at my house. I hope to see you soon!
P.S. ⓓ Your birthday is on July, isn't it?

(　　　) → _____
(　　　) → _____

**짝문제로 마무리**

**27** 고난도
ⓐ He studied from 4 P.M. to 7 P.M.
ⓑ There is a rainbow on the river.
ⓒ We will stay at this hotel during a week.
ⓓ What is she talking about?

(　　　) → _____
(　　　) → _____

**28**
ⓐ My parents are proud of I.
ⓑ Korea held the World Cup in 2002.
ⓒ The kids made a snowman next to the mailbox.
ⓓ He is good for sports.

(　　　) → _____
(　　　) → _____

**29** 고난도
ⓐ What will you do in Christmas evening?
ⓑ They ran around the track.
ⓒ People cannot live with water.
ⓓ There is a motorcycle between the trucks.

(　　　) → _____
(　　　) → _____

**30**
Dear Sophia,
ⓐ Yesterday, I arrived in Italy on 10 P.M.
ⓑ I'm writing this letter in a beautiful café.
ⓒ There are many interesting places here.
ⓓ I will visit Italy again at the summer. Let's go together then.

(　　　) → _____
(　　　) → _____

기출문제를 풀었으면 채점한 후, 짝문제를 푸세요. ▶

## 그림 보고 영작하기

다음 그림을 보고 빈칸에 알맞은 전치사를 <보기>에서 골라 쓰시오.

### 기출문제 풀고

| ─ <보기> ─ | | |
| --- | --- | --- |
| in front of | under | between |
| out of | behind | on |

**[31–33]**

31 Junho sits _____ Sunmi.

32 Mijin sits _____ Hyoshin.

33 Sunmi sits _____ Kyungsoo and Mijin.

**[34–36]**

34 The cell phone is _____ the bed.

35 The teddy bear is _____ the chair.

36 A girl is walking _____ the room.

### 짝문제로 마무리

| ─ <보기> ─ | | |
| --- | --- | --- |
| on | next to | between |
| over | across | behind |

**[37–39]**

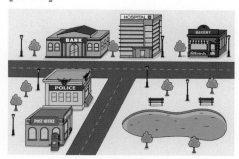

37 The hospital is _____ the bank and the bakery.

38 The bank is _____ from the police station.

39 The post office is _____ the police station.

**[40–42]**

40 There is a clock _____ the wall.

41 The cat is jumping _____ the table.

42 The vase is _____ the hat.

기출문제를 풀었으면 채점한 후, 짝문제를 푸세요. ▶

## 단어 배열하여 영작하기
우리말과 같도록 괄호 안의 말을 알맞게 배열하시오.

### 기출문제 풀고

**43**

조언해 줘서 고마워.
(for, thank, your advice, you)

= _____

**44**

그는 거미를 무서워하니?
(he, of, is, spiders, afraid)

= _____

### 짝문제로 마무리

**45**

그 관광객은 환불을 요청하지 않았다.
(did, a refund, the tourist, for, not, ask)

= _____

**46**

기차 시간에 늦지 마.
(late, the train, don't, for, be)

= _____

기출문제를 풀었으면 채점한 후, 짝문제를 푸세요. ▶

## 표 보고 영작하기
다음 표를 보고 빈칸에 알맞은 전치사를 쓰시오.

### 기출문제 풀고

**영화 상영표**

|  | Wed, March 2 | Thur, March 3 |
|---|---|---|
| 9 A.M. – 11 A.M. | *Minions* | *Thor* |
| 12 P.M. – 2 P.M. | *Minions* | *Minions* |
| 3 P.M. – 5 P.M. | *Jurassic World* | *Jurassic World* |
| 6 P.M. – 9 P.M. | *Avatar* | *Avatar* |

**47** We can't watch *Thor* _____ Wednesday.

**48** *Minions* shows _____ *Jurassic World*.

**49** We can only watch *Jurassic World* _____ the afternoon.

**50** *Avatar* shows _____ three hours.

### 짝문제로 마무리

**Susan의 어제 일정표**

| 10:00 – 11:00 A.M. | do yoga |
|---|---|
| 1:00 – 2:00 P.M. | take a piano lesson |
| 3:00 – 5:00 P.M. | ride a bicycle |
| 7:00 – 8:00 P.M. | make chocolate |
| 8:00 – 9:00 P.M. | play a computer game |

**51** Susan finished yoga _____ 11:00 A.M.

**52** Susan rode a bicycle _____ her piano lesson.

**53** Susan made chocolate _____ the evening.

**54** Susan played a computer game _____ an hour.

기출문제를 풀었으면 채점한 후, 짝문제를 푸세요. ▶

# CHAPTER

# 12

# 접속사

**기출문제 풀고 짝문제로 마무리!**

## ● POINT 1  and, but, or

우리말과 같도록 괄호 안의 말을 활용하여 문장을 완성하시오.

나는 그를 만났고 그에게 편지를 주었다. (give, a letter)

**I met him** _____ .

'그리고'라는 의미로 두 동사구를 연결할 수 있는 접속사는 and이다. 앞의 동사가 과거형이므로 give도 과거형인 gave로 쓴다.

정답: and gave him a letter[and gave a letter to him]

문법적인 성격이 같은 단어와 단어, 구와 구, 절과 절을 연결할 때 and(~과, 그리고), but(하지만, 그러나), or(또는, ~이거나, 아니면)를 쓴다.
*Mike* **and** *Carol* are best friends.  Mike와 Carol은 가장 친한 친구이다.
She *got up early* **but** *was late for school*.  그녀는 일찍 일어났지만 학교에 늦었다.
*Did she call Alex*, **or** *did you call him*?  그녀가 Alex에게 전화했니, 아니면 네가 그에게 전화했니?

### [1-4] 우리말과 같도록 괄호 안의 말을 알맞게 배열하시오.

1  Irene은 그녀의 방을 청소하고 설거지를 할 것이다. (her, will, and, wash, room, Irene, the dishes, clean)

   = _____

2  Harold는 말랐지만 강하다. (strong, thin, is, but, Harold)

   = _____

3  우리 서핑이나 하이킹하러 가는 게 어때? (go, hiking, why, we, or, don't, surfing)

   = _____

4  엄마는 피자를 좋아하시지만, 아빠는 피자를 좋아하시지 않는다. (Dad, pizza, likes, Mom, like, but, doesn't, pizza)

   = _____

### [5-10] 우리말과 같도록 괄호 안의 말을 활용하여 문장을 완성하시오.

5  그 소년은 천천히 그리고 조용히 문을 닫았다. (close, slowly, the door, quietly, the boy)

   = _____

6  내가 온라인으로 주문하거나, 우리가 같이 매장에 갈 수 있다. (can, go, the store, to)

   = I can order online, _____ together.

7  그 치즈는 지독한 냄새가 났지만 맛은 좋았다. (taste, smell, the cheese, good, terrible)

   = _____

8  그 아이는 침대 밑 아니면 옷장 안에 숨을 것이다. (the kid, the closet, hide, in, the bed, will, under)

   = _____

9  하늘은 파랗고, 구름들은 하얗다. (blue, the clouds, the sky, white)

   = _____

10  펭귄들은 날개가 있지만, 그것들은 날 수 없다. (have, can, wings, penguins, fly)

   = _____

## ◉ POINT 2 when, before, after

우리말과 같도록 괄호 안의 말을 활용하여 문장을 완성하시오.

> 그녀는 어렸을 때, 발리에서 살았다. (young)
>
> _____, she lived in Bali.

'~할 때'라는 의미로 절과 절을 연결할 수 있는 접속사는 when이다.

정답: When she was young

when(~할 때), before(~하기 전에), after(~한 후에)는 시간을 나타내는 부사절 접속사로 절과 절을 연결할 때 쓴다. 접속사가 이끄는 절을 문장 맨 앞에 쓸 때는 절과 절 사이에 콤마(,)를 쓴다.

**When** the girl was on stage, she was very nervous.  그 소녀는 무대에 섰을 때, 매우 긴장했다.

Turn off the light **before** you go out.  나가기 전에 불을 꺼라.

Rick will call you **after** his plane lands.  Rick은 그의 비행기가 착륙한 후에 너에게 전화할 것이다.

\* when, before, after 등이 이끄는 시간을 나타내는 부사절에서는 미래를 나타내더라도 현재시제를 쓴다.

### [1-3] 우리말과 같도록 괄호 안의 말을 알맞게 배열하시오.

1 많은 사람들이 그 뉴스를 봤을 때 충격을 받았다. (the news, when, shocked, were, watched, they)

= Many people _____.

2 너무 늦기 전에, 그녀에게 진실을 말해라. (it, too late, her, tell, is, the truth)

= Before _____.

3 지우는 그 소설을 읽은 후에 감상문을 썼다. (read, wrote, after, the novel, she, a book report)

= Jiwoo _____.

### [4-10] 우리말과 같도록 괄호 안의 말을 활용하여 문장을 완성하시오.

4 일어난 후에 따뜻한 물을 마셔라. (wake up)

= Drink warm water _____.

5 Paul은 잠자리에 들기 전에, 이를 닦을 것이다. (go to bed)

= _____, he will brush his teeth.

6 그녀가 나의 집을 떠났을 때, 비가 오기 시작했다. (leave, my house)

= _____, it started to rain.

7 Mark는 점심을 먹은 후에, 낮잠을 잘 것이다. (have, lunch)

= _____, he will take a nap.

8 나는 슬플 때 가족사진들을 본다. (sad)

= I look at family pictures _____.

9 나의 여동생은 그 음식을 먹기 전에 열량을 확인했다. (eat, the food)

= My sister checked the calories _____.

10 우리는 해가 진 후에, 별들을 볼 수 있다. (the sun, set)

= _____, we can see the stars.

## POINT 3 because, if

우리말과 같도록 괄호 안의 말을 활용하여 문장을 완성하시오.

그는 열심히 공부했기 때문에 그 시험에 합격했다. (study hard)

**He passed the test** _____.

'~하기 때문에'라는 의미로 절과 절을 연결할 수 있는 접속사는 because이다.

정답: because he studied hard

because(~하기 때문에)는 이유를 나타내는 부사절 접속사, if(만약 ~한다면)는 조건을 나타내는 부사절 접속사로 둘 다 절과 절을 연결할 때 쓴다. 접속사가 이끄는 절을 문장 맨 앞에 쓸 때는 절과 절 사이에 콤마(,)를 쓴다.

I can't take notes **because** my finger is broken. 나의 손가락이 부러졌기 때문에 나는 필기할 수가 없다.

**If** it rains tomorrow, we will cancel the picnic. 만약 내일 비가 온다면, 우리는 소풍을 취소할 것이다. * if가 이끄는 절에서는 미래를 나타내더라도 현재시제를 쓴다.

TIP because 뒤에 of를 붙이면 전치사가 되어서 뒤에 명사(구)가 온다.
We didn't go out **because of** *the storm*. 우리는 폭풍우 때문에 밖에 나가지 않았다.

**[1-11] 우리말과 같도록 괄호 안의 말을 활용하여 문장을 완성하시오.**

1 내가 나의 숙제를 하지 않았기 때문에, 나의 부모님은 화가 나셨다. (do, my homework)

= _____, my parents were angry.

2 만약 네가 서두른다면 제시간에 도착할 것이다. (hurry)

= You'll be on time _____.

3 만약 이 단어가 틀리면, X 표시를 해라. (this word, wrong)

= _____, mark it with an X.

4 Janet은 머리가 아팠기 때문에, 병원에 갔다. (have, a headache)

= _____, she went to the hospital.

5 눈이 오고 있기 때문에, 우리는 축구를 할 수 없다. (snow)

= _____, we can't play soccer.

6 만약 네가 노트북이 필요하다면, 이것을 사용해도 된다. (need, a laptop)

= _____, you can use this one.

7 나의 조부모님은 그 코미디 영화 때문에 많이 웃으셨다. (the comedy movie)

= My grandparents laughed a lot _____.

8 만약 그녀가 내일 나의 집에 온다면, 우리는 함께 게임을 할 것이다. (to, come, my house)

= _____ tomorrow, we will play a game together.

9 나의 남동생은 배가 고프지 않았기 때문에 저녁을 굶었다. (hungry)

= My brother skipped dinner _____.

10 그들은 황사 때문에 마스크를 꼈다. (the yellow dust)

= They wore masks _____.

11 만약 네가 약간의 소금을 첨가한다면, 그것은 더 맛이 좋을 것이다. (add, some salt)

= _____, it will taste better.

 **POINT 4** that

---

우리말과 같도록 괄호 안의 말을 알맞게 배열하시오.

> 우리는 그 공연이 훌륭했다고 들었다. (the show, great, that, was)
>
> **We heard** _____ .

문장의 목적어가 절이므로 동사 뒤에 절을 연결할 수 있는 접속사 that을 쓴다. (that + 주어 + 동사)

정답: that the show was great

---

that(~하다는 것)이 이끄는 절은 문장의 주어·보어·목적어 자리에 쓸 수 있으며, 목적어 자리에 쓸 때는 that을 생략할 수 있다.
I think **(that)** my brother is brave.  나는 나의 남동생이 용감하다고 생각한다.

TIP  that절을 목적어로 쓰는 동사: think, believe, know, hope, say, remember, hear 등

---

## [1-4] 우리말과 같도록 괄호 안의 말을 알맞게 배열하시오.

**1** 사람들은 걷는 것이 건강에 좋다고 말한다. (good, walking, for, is, that, say, health, people)

= _____

**2** 그 아이는 산타클로스가 진짜라고 믿었다. (that, real, the child, Santa Claus, believed, was)

= _____

**3** 그들은 A팀이 이기기를 바란다. (hope, will, Team A, they, win, that)

= _____

**4** Jane은 도서관에 그녀의 책을 두고 왔다고 생각한다. (she, her, the library, left, Jane, book, thinks, in)

= _____

## [5-11] 우리말과 같도록 괄호 안의 말을 활용하여 영작하시오.

**5** 나의 생일이 이번 달이라는 것을 기억해라. (this month, my birthday, remember)

= _____

**6** 너는 너의 부모님이 너를 사랑한다는 것을 알아야 한다. (know, your parents, love, should)

= _____

**7** 그는 유명한 가수가 되기를 바란다. (will, a famous singer, become, hope)

= _____

**8** 나의 여동생은 지독한 감기에 걸렸다고 말하지 않았다. (my sister, have, say, a terrible cold)

= _____

**9** 나는 그 시험이 어려웠다고 생각했다. (the exam, think, difficult)

= _____

**10** Jackie는 이 그림이 행운을 가져온다고 들었다. (bring, good luck, this painting, hear)

= _____

**11** Daniel은 네가 거짓말하지 않았다고 믿었다. (believe, lie)

= _____

# 기출문제 풀고 짝문제로 마무리!

기출문제를 풀고 정답과 해설을 확인하세요. 짝문제를 풀면서 복습하고, 틀린 문제는 다시 틀리지 않도록 꼼꼼히 점검하세요.

## 단어 배열하여 영작하기
우리말과 같도록 괄호 안의 말을 알맞게 배열하시오.

| 기출문제 풀고 | 짝문제로 마무리 |
|---|---|

**01** 그 소녀는 요리사나 의사가 되기를 원한다.
(a chef, to, wants, the girl, be, a doctor, or)

= _____

**02** 우리는 금요일이라서 신이 난다.
(are, it, Friday, is, because, excited)

= We _____ .

**03** 자전거 타기와 스키 타기가 나의 취미이다.
(skiing, my, are, and, a bicycle, hobbies, riding)

= _____
_____

**04** 나는 Kevin이 너의 친구라는 것을 알고 있다.
(I, your friend, is, that, Kevin, know)

= _____

**05** Ivy는 그 선물들을 봤을 때, 놀랐다.
(was, Ivy, surprised, saw, she, the presents)

= When _____
_____ .

**06** 그 수업은 흥미로웠지만 너무 길었다.
(interesting, but, the lesson, too long, was)

= _____

**07** 만약 네가 피곤하다면 휴식을 취해도 된다.
(a rest, if, take, you, tired, can, are)

= You _____ .

**08** 지우개는 책상 위나 서랍 안에 있다.
(the drawer, the desk, the eraser, on, or, is, in)

= _____
_____

**09** 우리는 그것이 팬더라고 생각했다.
(it, we, a panda, thought, was, that)

= _____

**10** 경기가 시작되기 전에, 너는 스트레칭을 해야 한다.
(you, stretch, the game, have to, begins)

= Before _____
_____ .

## 보기에서 문장 골라 영작하기

[A]와 [B]에서 적절한 의미의 문장을 하나씩 골라 괄호 안의 접속사를 사용하여 완전한 문장을 쓰시오. (단, 부사절 접속사는 [A] 문장 뒤에 쓸 것)

### 기출문제 풀고

**[11-12]**

| [A] | [B] |
| --- | --- |
| My mom prepared dinner<br>My father's car looks old | it works well<br>I made dessert |

**11** (and)

_____

_____

**12** (but)

_____

_____

**[13-14]**

| [A] | [B] |
| --- | --- |
| He looked in the mirror<br>We will visit Rome | we go to Italy<br>he took a picture |

**13** (before)

_____

_____

**14** (when)

_____

_____

**[15-16]**

| [A] | [B] |
| --- | --- |
| I am sad<br>Call this number | you want to contact us<br>my friend will move to<br>another country |

**15** (because)

_____

_____

**16** (if)

_____

_____

### 짝문제로 마무리

**[17-18]**

| [A] | [B] |
| --- | --- |
| Rose can dance well<br>That man is my teacher | he is from England<br>Jake can't dance well |

**17** (and)

_____

_____

**18** (but)

_____

_____

**[19-20]**

| [A] | [B] |
| --- | --- |
| I will read a book<br>Let's wash our hands | we make the cake<br>I have free time |

**19** (before)

_____

_____

**20** (when)

_____

_____

**[21-22]**

| [A] | [B] |
| --- | --- |
| Raise your hand<br>He wore a thick coat | it was cold<br>you have any questions |

**21** (because)

_____

_____

**22** (if)

_____

_____

기출문제를 풀었으면 채점한 후, 짝문제를 푸세요. ▶

CHAPTER 12

접속사 해커스 쓰기 자신감 Level 1

## 틀린 부분 고쳐 쓰기

다음 문장에서 어법상 틀린 부분을 바르게 고쳐 완전한 문장을 쓰시오.

| 기출문제 풀고 | 짝문제로 마무리 |
| --- | --- |

**23**

I heard if the singer plans to visit Seoul.
(나는 그 가수가 서울을 방문할 계획이라고 들었다.)

→ _____

_____

**24**

He will study abroad after he will graduate.
(그는 졸업한 후에 유학을 갈 것이다.)

→ _____

_____

**25**

She walked slowly because her injury.
(그녀는 그녀의 부상 때문에 천천히 걸었다.)

→ _____

_____

**26**

We can take a taxi or walking to the hotel.
(우리는 그 호텔까지 택시를 타거나 걸어갈 수 있다.)

→ _____

_____

**27**

If my brother will get good grades, my parents will be glad.
(만약 나의 남동생이 좋은 성적을 받는다면, 나의 부모님은 기뻐하실 것이다.)

→ _____

_____

**28**

We can't believe if they won the contest.
(우리는 그들이 그 대회에서 우승했다는 것을 믿을 수 없다.)

→ _____

_____

**29**

I will meet Peter before I will go home.
(나는 집에 가기 전에 Peter를 만날 것이다.)

→ _____

_____

**30**

She is popular because her kindness.
(그녀는 그녀의 친절함 때문에 인기가 있다.)

→ _____

_____

**31**

Samuel went to the park and enjoys the picnic.
(Samuel은 공원에 가서 소풍을 즐겼다.)

→ _____

_____

**32**

If Emily will need help, she will call us.
(만약 Emily가 도움이 필요하다면, 우리에게 전화할 것이다.)

→ _____

_____

## 두 문장을 한 문장으로 연결하기

괄호 안에 주어진 두 개의 접속사 중 알맞은 것을 골라 다음 두 문장을 한 문장으로 연결하시오. (단, 부사절 접속사는 앞 문장 뒤에 쓸 것)

### 기출문제 풀고

**33** 고난도
I should exercise regularly. The doctor said it. (that/or)

→ _____

**34**
Do you want to watch a musical? Do you want to watch a movie? (or/because)

→ _____

**35**
My dog snores. It sleeps. (but/when)

→ _____

**36**
He likes watermelons. They are sweet. (because/after)

→ _____

**37**
She is hungry. There is nothing to eat. (before/but)

→ _____

**38**
Take this medicine. You eat. (after/that)

→ _____

### 짝문제로 마무리

**39** 고난도
His name is Louis. You should remember it. (that/or)

→ _____

**40**
Do you want to play the piano? Do you want to fly a drone? (or/because)

→ _____

**41**
She wears an apron. She bakes cookies. (but/when)

→ _____

**42**
My mother bought apples. She will make apple jam. (because/after)

→ _____

**43**
I'm not good at math. I'm good at science. (before/but)

→ _____

**44**
Ivan played outside. He did his homework. (after/that)

→ _____

기출문제를 풀었으면 채점한 후, 짝문제를 푸세요. ▶

## 그림 보고 영작하기
다음 그림을 보고 <보기>에서 필요한 말들을 골라 문장을 완성하시오. (현재형으로 쓸 것, 필요시 형태를 바꿀 것)

### 기출문제 풀고

**45**

<보기>
sleepy / the student / cheerful

I think _____.

**46**

<보기>
when / listen to / before / music / the advice

Judy feels happy _____

_____.

### 짝문제로 마무리

**47**

<보기>
monkeys / dangerous / smart

I believe _____.

**48**

<보기>
after / groceries / shop for / when / ask for

Michael brings a shopping bag _____

_____.

기출문제를 풀었으면 채점한 후, 짝문제를 푸세요. ▶

## 표 보고 영작하기
다음 표를 보고 빈칸에 before와 after 중 알맞은 것을 쓰시오.

### 기출문제 풀고

**Ted의 아침 일과표**

| 7:00 A.M. | read an English newspaper |
|---|---|
| 7:30 A.M. | brush his teeth |
| 8:00 A.M. | leave home |

**49** Ted brushes his teeth _____ he reads an English newspaper.

**50** Ted brushes his teeth _____ he leaves home.

### 짝문제로 마무리

**Lucy의 어제 일정표**

| 9:00 – 9:30 A.M. | plan her trip |
|---|---|
| 10:00 – 11:00 A.M. | pack her bags |
| 1:00 – 2:00 P.M. | walk her dog |

**51** Lucy planned her trip _____ she packed her bags.

**52** Lucy walked her dog _____ she packed her bags.

기출문제를 풀었으면 채점한 후, 짝문제를 푸세요. ▶

# 쓰기가 쉬워지는
# 암기 리스트

# 1 동사의 형태 변화

## 1. 일반동사의 3인칭 단수 현재형

| | | | |
|---|---|---|---|
| 대부분의 동사 | 동사원형 + -s | work - works<br>arrive - arrives | love - loves<br>speak - speaks |
| -o, -s, -x, -ch, -sh로 끝나는 동사 | 동사원형 + -es | go - goes<br>mix - mixes | pass - passes<br>watch - watches |
| 「자음 + y」로 끝나는 동사 | y를 i로 바꾸고 + -es | fly - flies<br>carry - carries<br>**TIP** 「모음 + y」로 끝나는 동사: buy - buys | cry - cries<br>study - studies |
| 불규칙하게 변하는 동사 | have - has | | |

## 2. 일반동사의 과거형: 규칙 변화

| | | | |
|---|---|---|---|
| 대부분의 동사 | 동사원형 + -ed | call - called<br>watch - watched | open - opened<br>cook - cooked |
| -e로 끝나는 동사 | 동사원형 + -d | move - moved<br>invite - invited | lie - lied<br>agree - agreed |
| 「자음 + y」로 끝나는 동사 | y를 i로 바꾸고 + -ed | try - tried<br>study - studied<br>**TIP** 「모음 + y」로 끝나는 동사: stay - stayed | copy - copied<br>worry - worried |
| 「단모음 + 단자음」으로 끝나는 동사 | 마지막 자음을 한 번 더 쓰고 + -ed | stop - stopped<br>plan - planned<br>**TIP** 강세가 앞에 오는 2음절 동사: visit - visited　　enter - entered | drop - dropped<br>grab - grabbed |

**TIP** 규칙 변화하는 일반동사의 과거분사형은 과거형과 형태가 같다.

## 3. 일반동사의 과거형과 과거분사형: 불규칙 변화

① A-A-A형: 원형-과거형-과거분사형이 모두 같다.

| 원형 | 과거형 | 과거분사형 | 원형 | 과거형 | 과거분사형 |
|---|---|---|---|---|---|
| cost 비용이 들다 | cost | cost | cut 베다, 자르다 | cut | cut |
| hit 치다 | hit | hit | hurt 다치게 하다 | hurt | hurt |
| put 놓다 | put | put | read[ri:d] 읽다 | read[red] | read[red] |
| set 놓다 | set | set | spread 펼치다 | spread | spread |

② A-B-A형: 원형-과거분사형이 같다.

| 원형 | 과거형 | 과거분사형 | 원형 | 과거형 | 과거분사형 |
|---|---|---|---|---|---|
| become ~이 되다 | became | become | come 오다 | came | come |
| overcome 극복하다 | overcame | overcome | run 달리다 | ran | run |

③ A-B-B형: 과거형-과거분사형이 같다.

| 원형 | 과거형 | 과거분사형 | 원형 | 과거형 | 과거분사형 |
|---|---|---|---|---|---|
| bring 가져오다 | brought | brought | build 짓다 | built | built |
| buy 사다 | bought | bought | catch 잡다 | caught | caught |
| feed 먹이를 주다 | fed | fed | fight 싸우다 | fought | fought |
| find 찾다 | found | found | get 얻다 | got | got(ten) |
| have 가지다 | had | had | hear 듣다 | heard | heard |
| keep 유지하다 | kept | kept | lay 놓다, 낳다 | laid | laid |
| leave 떠나다 | left | left | lose 잃다, 지다 | lost | lost |
| make 만들다 | made | made | meet 만나다 | met | met |
| say 말하다 | said | said | sell 팔다 | sold | sold |
| send 보내다 | sent | sent | sit 앉다 | sat | sat |
| sleep 자다 | slept | slept | spend 쓰다 | spent | spent |
| stand 서다 | stood | stood | teach 가르치다 | taught | taught |
| tell 말하다 | told | told | think 생각하다 | thought | thought |
| understand 이해하다 | understood | understood | win 이기다 | won | won |

④ A-B-C형: 원형-과거형-과거분사형이 모두 다르다.

| 원형 | 과거형 | 과거분사형 | 원형 | 과거형 | 과거분사형 |
|---|---|---|---|---|---|
| begin 시작하다 | began | begun | break 깨다 | broke | broken |
| choose 선택하다 | chose | chosen | do 하다 | did | done |
| draw 그리다 | drew | drawn | drink 마시다 | drank | drunk |
| drive 운전하다 | drove | driven | eat 먹다 | ate | eaten |
| fall 떨어지다, 넘어지다 | fell | fallen | fly 날다 | flew | flown |
| forget 잊다 | forgot | forgotten | give 주다 | gave | given |
| go 가다 | went | gone | grow 자라다 | grew | grown |
| know 알다 | knew | known | mistake 실수하다 | mistook | mistaken |
| ride 타다 | rode | ridden | rise 오르다 | rose | risen |
| see 보다 | saw | seen | sing 노래하다 | sang | sung |
| speak 말하다 | spoke | spoken | swim 수영하다 | swam | swum |
| take 가지고 가다 | took | taken | wake 깨우다 | woke | woken |
| wear 입고 있다 | wore | worn | write 쓰다 | wrote | written |

## 2 명사의 형태 변화와 관사의 쓰임

### 1. 셀 수 있는 명사의 복수형: 규칙 변화

셀 수 있는 명사의 복수형은 대부분 명사에 -(e)s를 붙여 만든다.

| 대부분의 명사 | 명사 + -s | book - books  cookie - cookies<br>egg - eggs  tree - trees |
|---|---|---|
| -s, -x, -ch, -sh로 끝나는 명사 | 명사 + -es | bus - buses  box - boxes<br>church - churches  dish - dishes |
| 「자음 + o」로 끝나는 명사 | 명사 + -es | potato - potatoes  tomato - tomatoes<br>**TIP** • 예외: piano - pianos  photo - photos<br> • 「모음 + o」로 끝나는 명사: radio - radios |
| 「자음 + y」로 끝나는 명사 | y를 i로 바꾸고 + -es | baby - babies  story - stories<br>diary - diaries  country - countries<br>**TIP** 「모음 + y」로 끝나는 명사: key - keys |
| -f, -fe로 끝나는 명사 | f, fe를 v로 바꾸고 + -es | leaf - leaves  knife - knives<br>**TIP** 예외: roof - roofs  cliff - cliffs |

### 2. 셀 수 있는 명사의 복수형: 불규칙 변화

#### ① 단수형과 복수형이 다른 명사

| | | | |
|---|---|---|---|
| man - men | woman - women | child - children | mouse - mice |
| ox - oxen | goose - geese | foot - feet | tooth - teeth |

#### ② 단수형과 복수형이 같은 명사

| | | | |
|---|---|---|---|
| sheep - sheep | deer - deer | fish - fish | salmon - salmon |

### 3. 셀 수 없는 명사

셀 수 없는 명사는 단위명사를 활용하여 수량을 나타내고, 복수형은 단위명사에 -(e)s를 붙여 만든다.

| | | |
|---|---|---|
| a glass of water/milk/juice | a cup of tea/coffee | a bottle of water/juice |
| a can of coke/soda/paint | a bowl of rice/soup/cereal | a loaf of bread |
| a slice of pizza/cheese/bread/cake | a piece of paper/furniture/information/advice/news | |

## 4. 부정관사 a(n)의 쓰임

셀 수 있는 명사의 단수형 앞에 쓰며, 첫소리가 자음으로 발음되는 명사 앞에는 a를, 첫소리가 모음으로 발음되는 명사 앞에는 an을 쓴다.

| | |
|---|---|
| 정해지지 않은 막연한 하나를 가리킬 때 | Daniel is **a student**. Daniel은 학생이다. |
| '하나의(one)'를 나타낼 때 | I ate **an apple** for breakfast. 나는 아침으로 한 개의 사과를 먹었다. |
| '~마다(per)'를 나타낼 때 | Jimin usually goes to the gym twice **a week**. 지민이는 보통 일주일에 두 번 체육관에 간다. |

## 5. 정관사 the의 쓰임

| | |
|---|---|
| 앞에서 언급된 명사가 반복될 때 | We watched a movie last night. **The movie** was scary.<br>우리는 어젯밤에 영화를 봤다. 그 영화는 무서웠다. |
| 정황상 서로 알고 있는 것을 말할 때 | Can you open **the door**? 그 문을 열어주겠니? |
| 유일한 것을 말할 때 | **The sun** sets in the west. 태양은 서쪽에서 진다. |
| 악기 이름 앞에 | He can play **the guitar** well. 그는 기타를 잘 연주할 수 있다. |
| 서수, last, only 앞에 | My classroom is on **the second** floor. 나의 교실은 2층에 있다. |

## 6. 관사를 쓰지 않는 경우

다음과 같은 경우에는 명사 앞에 관사를 쓰지 않는다.

| | |
|---|---|
| 운동, 식사, 과목 이름 앞에 | We played **badminton** all day. 우리는 종일 배드민턴을 쳤다.<br>I will meet Jane for **dinner**. 나는 저녁 식사를 위해 Jane을 만날 것이다.<br>**English** is a interesting subject for me. 영어는 나에게 흥미로운 과목이다. |
| 「by + 교통·통신수단」 | Let's go there **by bus**. 거기에 버스로 가자.<br>Contact me **by email**. 이메일로 나에게 연락해. |
| 장소나 건물이 본래의 목적으로 쓰일 때 | Students go to **school** on weekdays. 학생들은 평일에 학교에 간다.<br>**TIP** 장소나 건물이 본래의 목적으로 쓰이지 않을 때는 관사를 써야 한다.<br>Tony's mother went to **the school** to meet his teacher.<br>Tony의 어머니는 그의 선생님을 만나기 위해 학교에 가셨다. |

# 3 형용사와 부사의 형태 변화

## 1. 부사의 형태

부사는 대부분 형용사에 -ly를 붙여 만든다.

| 대부분의 형용사 | 형용사 + -ly | slow - slowly<br>kind - kindly | sad - sadly<br>poor - poorly |
|---|---|---|---|
| 「자음 + y」로 끝나는 형용사 | y를 i로 바꾸고 + -ly | easy - easily | lucky - luckily |
| -le로 끝나는 형용사 | e를 없애고 + -y | simple - simply | terrible - terribly |
| 불규칙 변화 | good - well | | |

**TIP** 다음 단어는 -ly로 끝나지만 부사가 아닌 형용사로 쓰이는 것에 주의한다.
　　friendly 친절한　lovely 사랑스러운　lonely 외로운　weekly 주간의　likely 그럴듯한

## 2. 형용사와 형태가 같은 부사

다음 단어는 형용사와 부사의 형태가 같다.

| late | 형 늦은 | 부 늦게 | high | 형 높은 | 부 높이 |
|---|---|---|---|---|---|
| early | 형 이른 | 부 일찍 | long | 형 긴 | 부 길게, 오래 |
| fast | 형 빠른 | 부 빠르게 | enough | 형 충분한 | 부 충분히 |
| deep | 형 깊은 | 부 깊이 | close | 형 가까운 | 부 가까이 |
| near | 형 가까운 | 부 가까이 | far | 형 먼 | 부 멀리 |

**TIP** 형용사와 형태가 같지만 의미가 달라지는 부사에 주의한다.
　　hard 형 어려운, 단단한 부 열심히　pretty 형 예쁜 부 꽤

## 3. -ly가 붙으면 의미가 달라지는 부사

다음 부사에 -ly가 붙으면 의미가 다른 부사가 된다.

late 늦게 - lately 최근에　　　high 높이 - highly 매우, 대단히　　near 가까이 - nearly 거의
hard 열심히 - hardly 거의 ~않다　close 가까이 - closely 면밀히　　most 가장 많이 - mostly 대체로, 주로
deep 깊은 - deeply 몹시　　　short 짧게 - shortly 곧

## 4. 비교급 / 최상급 규칙 변화

원급은 형용사나 부사의 원래 형태이며, 비교급은 대부분 원급에 -(e)r을, 최상급은 대부분 원급에 -(e)st를 붙여 만든다.

| 비교급/최상급 만드는 법 | | 원급 - 비교급 - 최상급 |
|---|---|---|
| 대부분의 형용사·부사 | + -er/-est | tall - taller - tallest |
| -e로 끝나는 형용사·부사 | + -r/-st | large - larger - largest |
| 「자음 + y」로 끝나는 형용사·부사 | y를 i로 바꾸고 + -er/-est | happy - happier - happiest |
| 「단모음 + 단자음」으로 끝나는 형용사·부사 | 마지막 자음을 한 번 더 쓰고 + -er/-est | big - bigger - biggest |
| 대부분의 2음절 이상인 형용사·부사 (-y로 끝나는 형용사 제외) | more/most + 원급 | famous - more famous - most famous |
| 「형용사 + ly」 형태의 부사 | | safely - more safely - most safely |

## 5. 비교급 / 최상급 불규칙 변화

| 원급 | | 비교급 | 최상급 | 원급 | | 비교급 | 최상급 |
|---|---|---|---|---|---|---|---|
| good | 좋은 | better | best | many | (수가) 많은 | more | most |
| well | 건강한, 잘 | | | much | (양이) 많은 | | |
| bad | 나쁜 | | | little | (양이) 적은 | less | least |
| badly | 나쁘게 | worse | worst | late | (시간이) 늦은 | later | latest |
| ill | 아픈, 병든 | | | | (순서가) 늦은 | latter | last |
| old | 나이든, 오래된 | older | oldest | far | (거리가) 먼 | farther | farthest |
| | 연상의 | elder | eldest | | (정도가) 먼 | further | furthest |

| 문법 사항 | 세부 내용 | Level 1 | Level 2 | Level 3 |
|---|---|---|---|---|
| 문장의 종류 | 명령문, 청유문, 감탄문 | p. 76 | | |
| | 의문사 의문문 | p. 66 | | |
| | 부정의문문, 선택의문문, 부가의문문 | p. 78 | | |
| 명사 | 셀 수 있는 명사, 셀 수 없는 명사 | p. 98, 99 | | |
| 대명사 | 인칭대명사 | p. 101 | | |
| | 재귀대명사 | p. 102 | O | |
| | 비인칭 주어 it | p. 103 | | |
| | 부정대명사 | | O | |
| 형용사와 부사 | 형용사, 부사 | p. 110, 112 | O | |
| 비교구문 | 원급/비교급/최상급 비교 | p. 114, 115 | O | O |
| | 비교구문을 이용한 표현 | | O | O |
| 전치사 | 장소 전치사 | p. 122 | | |
| | 시간 전치사 | p. 123 | | |
| | 기타 전치사 | p. 124 | | |
| 접속사 | 등위접속사 | p. 132 | O | |
| | 시간 접속사 | p. 133 | O | |
| | 이유 접속사 | p. 134 | O | |
| | 결과 접속사 | | O | |
| | 조건 접속사 | p. 134 | O | |
| | 양보 접속사 | | O | |
| | that | p. 135 | O | |
| | 명령문 + and/or | p. 132 | O | |
| | 상관접속사 | | O | |
| | 간접의문문 | | O | |
| 관계사 | 관계대명사 | | O | O |
| | 관계대명사의 계속적 용법 | | | O |
| | 전치사 + 관계대명사 | | | O |
| | 관계부사 | | O | O |
| | 복합관계사 | | | O |
| 가정법 | 가정법 과거 | | | O |
| | 가정법 과거완료 | | | O |
| | I wish 가정법 | | | O |
| | as if 가정법 | | | O |
| | Without 가정법 | | | O |
| | It's time 가정법 | | | O |
| 일치와 화법 | 시제 일치 | | | O |
| | 수의 일치 | | | O |
| | 화법 | | | O |
| 특수구문 | 강조, 도치, 부정 | | | O |

# MEMO

# MEMO

# MEMO

서술형 잡는 영작 훈련서

# 해커스 쓰자신감 Level 1

초판 3쇄 발행 2024년 5월 6일
초판 1쇄 발행  2023년 2월 28일

| | |
|---|---|
| 지은이 | 해커스 어학연구소 |
| 펴낸곳 | ㈜해커스 어학연구소 |
| 펴낸이 | 해커스 어학연구소 출판팀 |

| | |
|---|---|
| 주소 | 서울특별시 서초구 강남대로61길 23 ㈜해커스 어학연구소 |
| 고객센터 | 02-537-5000 |
| 교재 관련 문의 | publishing@hackers.com |
| | 해커스북 사이트(HackersBook.com) 고객센터 Q&A 게시판 |
| 동영상강의 | star.Hackers.com |

| | |
|---|---|
| ISBN | 978-89-6542-566-3 (53740) |
| Serial Number | 01-03-01 |

중고등영어 1위,
해커스북 HackersBook.com

**해커스북** 중·고등

· 중학 영어 서술형의 필수 표현을 모은 **어휘 리스트**
· 효과적인 단어 암기를 돕는 **어휘 테스트**

중·고등영어도 역시 1위 해커스

# 해커스 young star 중·고등

## 중·고등영어의 압도적인 점수 상승,
## 해커스 영스타 중·고등에서 현실이 됩니다.

해커스 영스타 중·고등 강의 무료체험

내게 맞는 공부법 체크! 학습전략검사

해커스 중·고등교재 무료 학습자료

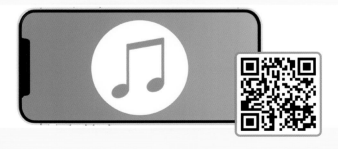

보카 강의 수강생 수
## 1위 박가은

# 해커스
# 쓰기
# 자신감 Level 1

## 정답 및 해설

HACKERS

# 해커스

# 쓰기자신감 Level 1

## 정답 및 해설

해커스 어학연구소

# CHAPTER 01

## be동사

1  He is brave. 그는 용감하다.
   → <u>You are[You're] brave.</u> 너는 용감하다.

2  The cat is under the bed. 그 고양이는 침대 밑에 있다.
   → <u>They are[They're] under the bed.</u> 그것들은 침대 밑에 있다.

3  Ava is a swimmer. Ava는 수영 선수이다.
   → <u>I am[I'm] a swimmer.</u> 나는 수영 선수이다.

4  You are smart. 너는 똑똑하다.
   → <u>She is[She's] smart.</u> 그녀는 똑똑하다.

5  Matt is from Canada. Matt는 캐나다에서 왔다.
   → <u>We are[We're] from Canada.</u> 우리는 캐나다에서 왔다.

6  <u>I am[I'm] a student.</u>

7  <u>The dogs are on the sofa.</u>

8  <u>It is[It's] her doll.</u>

9  <u>Chocolate is sweet.</u>

10 Justin and his brother <u>are in the kitchen</u>.

11 <u>My mother is a teacher.</u>

12 <u>We are[We're] at the church.</u>

1  The kids were in the classroom. 그 아이들은 교실에 있었다.
   → <u>I was in the classroom.</u> 나는 교실에 있었다.

2  Janghoon was busy this morning. 장훈은 오늘 아침에 바빴다.
   → <u>They were busy this morning.</u> 그들은 오늘 아침에 바빴다.

3  She was really happy. 그녀는 정말 행복했다.
   → <u>We were really happy.</u> 우리는 정말 행복했다.

4  The pencils were in the drawer. 그 연필들은 서랍 안에 있었다.
   → <u>It was in the drawer.</u> 그것은 서랍 안에 있었다.

5  He was a middle school student last year. 그는 작년에 중학생이었다.
   → <u>You were a middle school student last year.</u>
      너는 작년에 중학생이었다.

6  <u>The musical was amazing.</u>

7  <u>The birds were in the nest.</u>

8  <u>Tina was late for school.</u>

9  My sister and I <u>were at home</u> an hour ago.

10 <u>Yesterday was my birthday.</u>

11 <u>He was very tired.</u>

12 <u>My parents were in China</u> last week.

1  You are my classmate. 너는 나의 반 친구이다.
   → <u>You're not[You aren't] my classmate.</u> 너는 나의 반 친구가 아니다.

2  That apple is fresh. 저 사과는 신선하다.
   → <u>That apple isn't fresh.</u> 저 사과는 신선하지 않다.

3  They were in Korea last month. 그들은 지난달에 한국에 있었다.
   → <u>They weren't in Korea last month.</u>
      그들은 지난달에 한국에 없었다.

4  I am at school now. 나는 지금 학교에 있다.
   → <u>I'm not at school now.</u> 나는 지금 학교에 없다.

5  The hamburger was delicious. 그 햄버거는 맛있었다.

   → <u>The hamburger wasn't delicious.</u>
      그 햄버거는 맛있지 않았다.

6  <u>She's not[She isn't] a singer.</u>

7  <u>The websites weren't useful.</u>

8  <u>The sky wasn't clear.</u>

9  <u>The gloves aren't in my bag.</u>

10 <u>It's not[It isn't] his smartphone.</u>

11 <u>We're not[We aren't] upset.</u>

12 <u>Chris wasn't kind</u> to me.

1  He was sick yesterday. 그는 어제 아팠다.
   → <u>Was he sick yesterday?</u> 그는 어제 아팠니?

2  They are in the park now. 그들은 지금 공원에 있다.
   → <u>Are they in the park now?</u> 그들은 지금 공원에 있니?

3  It is his birthday gift. 그것은 그의 생일 선물이다.
   → <u>Is it his birthday gift?</u> 그것은 그의 생일 선물이니?

4  The cats were under the desk. 그 고양이들은 책상 밑에 있었다.
   → <u>Were the cats under the desk?</u> 그 고양이들은 책상 밑에 있었니?

5  Her hair color is red. 그녀의 머리 색깔은 빨간색이다.
   → <u>Is her hair color red?</u> 그녀의 머리 색깔은 빨간색이니?

6  You and your friend were in your room.
   너와 너의 친구는 너의 방에 있었다.
   → <u>Were you and your friend in your room?</u>
      너와 너의 친구는 너의 방에 있었니?

7  A: Is he your brother? 그는 너의 남동생이니?
   B: No, <u>he isn't</u>. 아니, 그렇지 않아.

8  A: Are you a soccer player? 너는 축구 선수이니?
   B: Yes, <u>I am</u>. 응, 그래.

9  A: Is the Eiffel Tower in Paris? 에펠탑은 파리에 있니?
   B: Yes, <u>it is</u>. 응, 그래.

10 A: Was the girl at the theater? 그 소녀는 극장에 있었니?
   B: Yes, <u>she was</u>. 응, 그랬어.

11 A: Were Jiwoo and I too noisy? 지우와 내가 너무 시끄러웠니?
   B: No, <u>you weren't</u>. 아니, 그렇지 않았어.

12 A: Am I wrong? 내가 틀렸니?
   B: No, <u>you aren't</u>. 아니, 그렇지 않아.

13 A: Were the students in the pool? 그 학생들은 수영장에 있었니?
   B: Yes, <u>they were</u>. 응, 그랬어.

---

### 기출문제 풀고 짝문제 로 마무리!                    p. 20

01 <u>Was the show funny?</u>

02 <u>Yuna was absent yesterday.</u>

03 <u>Their family name is Johnson.</u>

04 <u>I am[I'm] not from England.</u>

05 <u>Ron and I are at the bus stop now.</u>

06 <u>Were you alone in your house last Sunday?</u>

07 <u>Is the cracker sweet?</u>

08 <u>The stars were bright last night.</u>

09 <u>Their homeroom teacher is a woman.</u>

10 <u>I am[I'm] not happy now.</u>

11 <u>Sojung and Soyeon are my sisters.</u>

12 <u>Was your father a pilot before?</u>

13 <u>It was an interesting book.</u>

14 <u>The plates are in the cabinet.</u>

15 <u>Was yesterday a national holiday?</u>

16 That mountain is not[isn't] very high.

17 Are the pants tight on you?

18 The tests were not[weren't] difficult.

19 We were members of the choir.

20 My uncle is a doctor.

21 Were the bears on the road?

22 The sunglasses are not[aren't] cheap.

23 Is the actor famous in Korea?

24 Tim was not[wasn't] at the gym.

25 He is in the theater.
   The movie isn't sad.

26 The kids are at the playground.
   Their clothes aren't clean.

27 It isn't a rabbit.
   Its tail is long.

28 Anna is a photographer.
   The table isn't round.

29 They are from Germany.
   Their shirts aren't yellow.

30 The concert hall isn't full of people.
   The singer is on the stage.

31 [부정문] They were not[weren't] on the same team.
   [의문문] Were they on the same team?

32 [부정문] Ben and Jane are not[aren't] neighbors.
   [의문문] Are Ben and Jane neighbors?

33 [부정문] Alex was not[wasn't] surprised.
   [의문문] Was Alex surprised?

34 [부정문] He and she are not[aren't] good friends.
   [의문문] Are he and she good friends?

35 A: Was the sandwich delicious?
   B: Yes, it was.

36 A: Is Ms. Murphy at the museum?
   B: Yes, she is.

37 A: Were you and your sister busy?
   B: No, we weren't.

38 A: Are the cookies ready?
   B: No, they aren't.

39 A: Were we friendly and helpful?
   B: Yes, you were.

40 A: Are Leo and Lucy your grandparents?
   B: Yes, they are.

41 A: Was the boy six years old last year?
   B: No, he wasn't.

42 A: Is your hobby cooking?
   B: No, it isn't.

43 A: My birthday was last Saturday.
   B: Were you happy that day?

44 I was at the bank three hours ago. I am at the shopping mall now.

45 A: Nick and Jim were late for school yesterday.
   B: Was their teacher angry?

46 The weather was cloudy last week. But the weather is sunny now.

47 Her name is Kate.

48 She is 14 years old.

49 She was an elementary school student last year.

50 She is not[isn't] tall.

51 His hometown is San Francisco.

52 He is a musician.

53 He was an athlete before.

54 He is not[isn't] shy.

01 해설 be동사 과거형의 의문문: 「Was/Were + 주어 ~?」 (▶ POINT 4)
   해석 그 공연은 재미있었니?

02 해설 주어 Yuna는 3인칭 단수이고 과거를 나타내는 표현(yesterday)이 있으므로 are를 was로 고쳐야 한다. (▶ POINT 2)
   해석 유나는 어제 결석했다.

03 해설 주어 Their family name은 3인칭 단수이므로 are를 is로 고쳐야 한다. (▶ POINT 1)
   해석 그들의 성은 Johnson이다.

04 해설 am not은 줄여 쓸 수 없다. (▶ POINT 3)
   해석 나는 영국에서 오지 않았다.

05 해설 주어가 「A and B」 형태이면 be동사의 현재형은 are를 쓴다. (▶ POINT 1)
   해석 Ron과 나는 지금 버스 정류장에 있다.

06 해설 주어가 you이므로 Was를 Were로 고쳐야 한다. (▶ POINT 4)
   해석 너는 지난 일요일에 너의 집에 혼자 있었니?

07 해설 be동사 현재형의 의문문: 「Am/Is/Are + 주어 ~?」 (▶ POINT 4)
   해석 그 과자는 달콤하니?

08 해설 주어 The stars는 3인칭 복수이고 과거를 나타내는 표현(last night)이 있으므로 is를 were로 고쳐야 한다. (▶ POINT 2)
   해석 어젯밤에는 별들이 밝았다.

09 해설 주어 Their homeroom teacher는 3인칭 단수이므로 are를 is로 고쳐야 한다. (▶ POINT 1)
   해석 그들의 담임 선생님은 여자이다.

10 해설 am not은 줄여 쓸 수 없다. (▶ POINT 3)
   해석 나는 지금 행복하지 않다.

11 해설 주어가 「A and B」 형태이면 be동사의 현재형은 are를 쓴다. (▶ POINT 1)
   해석 소정과 소연은 나의 여동생들이다.

12 해설 주어 your father는 3인칭 단수이므로 Were를 Was로 고쳐야 한다. (▶ POINT 4)
   해석 너의 아빠는 전에 조종사이셨니?

13 해설 주어가 It이고 '~이었다'라는 과거의 의미이므로 was를 쓴다. (▶ POINT 2)

14 해설 주어 The plates는 3인칭 복수이고 '~에 있다'라는 현재의 의미이므로 are를 쓴다. (▶ POINT 1)

15 해설 주어가 3인칭 단수인 be동사 과거형의 의문문: 「Was + 주어 ~?」 (▶ POINT 4)

16 해설 주어가 3인칭 단수인 be동사 현재형의 부정: is not[isn't] (▶ POINT 3)

17 해설 주어가 3인칭 복수인 be동사 현재형의 의문문: 「Are + 주어 ~?」 (▶ POINT 4)

18 해설 주어가 3인칭 복수인 be동사 과거형의 부정: were not[weren't] (▶ POINT 3)

19 해설 주어가 We이고 '~이었다'라는 과거의 의미이므로 were를 쓴다. (▶ POINT 2)

20 해설 주어 My uncle은 3인칭 단수이고 '~이다'라는 현재의 의미이므로 is를 쓴다. (▶ POINT 1)

21 해설 주어가 3인칭 복수인 be동사 과거형의 의문문: 「Were + 주어 ~?」 (▶ POINT 4)

22 해설 주어가 3인칭 복수인 be동사 현재형의 부정: are not[aren't] (▶ POINT 3)

23 해설 주어가 3인칭 단수인 be동사 현재형의 의문문: 「Is + 주어 ~?」 (▶ POINT 4)

24 해설 주어가 3인칭 단수인 be동사 과거형의 부정: was not[wasn't] (▶ POINT 3)

25 해설 첫 번째 빈칸: 남자가 극장에 있으므로 is를 쓴다. (▶ POINT 1)
   두 번째 빈칸: 남자가 웃고 있으므로 isn't를 쓴다. (▶ POINT 3)
   해석 그는 극장에 있다.
   그 영화는 슬프지 않다.

26 해설 첫 번째 빈칸: 아이들이 놀이터에 있으므로 are를 쓴다. (▶ POINT 1)
   두 번째 빈칸: 옷이 깨끗하지 않으므로 aren't를 쓴다. (▶ POINT 3)
   해석 그 아이들은 놀이터에 있다.
   그들의 옷들은 깨끗하지 않다.

27 해설 첫 번째 빈칸: 토끼가 아닌 고양이므로 isn't를 쓴다. (▶ POINT 3)

두 번째 빈칸: 꼬리가 길므로 is를 쓴다. (▶ POINT 1)

해석 그것은 토끼가 아니다.
그것의 꼬리는 길다.

28 해설 첫 번째 빈칸: Anna가 사진을 찍어 주고 있으므로 is를 쓴다. (▶ POINT 1)
두 번째 빈칸: 탁자는 동그랗지 않으므로 isn't를 쓴다. (▶ POINT 3)

해석 Anna는 사진작가이다.
그 탁자는 동그랗지 않다.

29 해설 첫 번째 빈칸: 독일인임을 나타내므로 are를 쓴다. (▶ POINT 1)
두 번째 빈칸: 둘 다 셔츠가 노란색이 아니므로 aren't를 쓴다. (▶ POINT 3)

해석 그들은 독일에서 왔다.
그들의 셔츠들은 노란색이 아니다.

30 해설 첫 번째 빈칸: 콘서트장은 사람들로 가득 차 있지 않으므로 isn't를 쓴다.
(▶ POINT 3)
두 번째 빈칸: 가수가 무대 위에 있으므로 is를 쓴다. (▶ POINT 1)

해석 그 콘서트장은 사람들로 가득 차 있지 않다.
그 가수는 무대 위에 있다.

31 해설 be동사 과거형의 부정문: 「was/were + not」 (▶ POINT 3)
be동사 과거형의 의문문: 「Was/Were + 주어 ~?」 (▶ POINT 4)

해석 그들은 같은 팀이었다.
[부정문] 그들은 같은 팀이 아니었다.
[의문문] 그들은 같은 팀이었니?

32 해설 be동사 현재형의 부정문: 「am/is/are + not」 (▶ POINT 3)
be동사 현재형의 의문문: 「Am/Is/Are + 주어 ~?」 (▶ POINT 4)

해석 Ben과 Jane은 이웃이다.
[부정문] Ben과 Jane은 이웃이 아니다.
[의문문] Ben과 Jane은 이웃이니?

33 해설 be동사 과거형의 부정문: 「was/were + not」 (▶ POINT 3)
be동사 과거형의 의문문: 「Was/Were + 주어 ~?」 (▶ POINT 4)

해석 Alex는 놀랐다.
[부정문] Alex는 놀라지 않았다.
[의문문] Alex는 놀랐니?

34 해설 be동사 현재형의 부정문: 「am/is/are + not」 (▶ POINT 3)
be동사 현재형의 의문문: 「Am/Is/Are + 주어 ~?」 (▶ POINT 4)

해석 그와 그녀는 좋은 친구이다.
[부정문] 그와 그녀는 좋은 친구가 아니다.
[의문문] 그와 그녀는 좋은 친구이니?

35 해설 be동사 과거형의 의문문이고 주어가 the sandwich이므로 긍정의 답변에는
it was를 쓴다. (▶ POINT 4)

해석 A: 그 샌드위치는 맛있었니?
B: 응, 그랬어.

36 해설 be동사 현재형의 의문문이고 주어가 Ms. Murphy이므로 긍정의 답변에는
she is를 쓴다. (▶ POINT 4)

해석 A: Murphy 씨는 박물관에 있니?
B: 응, 그래.

37 해설 be동사 과거형의 의문문이고 주어가 you and your sister이므로 부정의
답변에는 we weren't를 쓴다. (▶ POINT 4)

해석 A: 너와 너의 여동생은 바빴니?
B: 아니, 그렇지 않았어.

38 해설 be동사 현재형의 의문문이고 주어가 the cookies이므로 부정의 답변에는
they aren't를 쓴다. (▶ POINT 4)

해석 A: 쿠키가 준비되었니?
B: 아니, 그렇지 않아.

39 해설 be동사 과거형의 의문문이고 주어가 we이므로 긍정의 답변에는 you
were를 쓴다. (▶ POINT 4)

해석 A: 우리가 친절하고 도움이 되었니?
B: 응, 그랬어.

40 해설 be동사 현재형의 의문문이고 주어가 Leo and Lucy이므로 긍정의 답변에는
they are를 쓴다. (▶ POINT 4)

해석 A: Leo와 Lucy가 너의 조부모님이시니?
B: 응, 그래.

41 해설 be동사 과거형의 의문문이고 주어가 the boy이므로 부정의 답변에는 he
wasn't를 쓴다. (▶ POINT 4)

해석 A: 그 소년은 작년에 6살이었니?
B: 아니, 그렇지 않았어.

42 해설 be동사 현재형의 의문문이고 주어가 your hobby이므로 부정의 답변에는 it
isn't를 쓴다. (▶ POINT 4)

해석 A: 너의 취미는 요리이니?
B: 아니, 그렇지 않아.

43 해설 A: 주어 My birthday는 3인칭 단수이고 과거를 나타내는 표현(last
Saturday)이 있으므로 was를 쓴다. (▶ POINT 2)
B: 주어가 you인 be동사 과거형의 의문문: Were you ~? (▶ POINT 4)

해석 A: 나의 생일은 지난 토요일이었어.
B: 너는 그날 행복했니?

44 해설 첫 번째 빈칸: 주어가 I이고 과거를 나타내는 표현(three hours ago)이
있으므로 was를 쓴다. (▶ POINT 2)
두 번째 빈칸: 주어가 I이고 현재를 나타내는 표현(now)이 있으므로 am을
쓴다. (▶ POINT 1)

해석 나는 세 시간 전에 은행에 있었다. 나는 지금 쇼핑몰에 있다.

45 해설 A: 주어가 「A and B」 형태이고 과거를 나타내는 표현(yesterday)이
있으므로 were를 쓴다. (▶ POINT 2)
B: 주어가 3인칭 단수인 be동사 과거형의 의문문: 「Was + 주어 ~?」
(▶ POINT 4)

해석 A: Nick과 Jim은 어제 학교에 늦었어.
B: 그들의 선생님은 화가 나셨니?

46 해설 첫 번째 빈칸: 주어 The weather는 3인칭 단수이고 과거를 나타내는
표현(last week)이 있으므로 was를 쓴다. (▶ POINT 2)
두 번째 빈칸: 주어 the weather는 3인칭 단수이고 현재를 나타내는
표현(now)이 있으므로 is를 쓴다. (▶ POINT 1)

해석 지난주 날씨는 흐렸다. 하지만 지금 날씨는 화창하다.

47 해설 주어 Her name은 3인칭 단수이므로 is를 쓴다. (▶ POINT 1)

해석 그녀의 이름은 Kate이다.

48 해설 주어가 She이므로 is를 쓴다. (▶ POINT 1)

해석 그녀는 14살이다.

49 해설 주어가 She이고 과거를 나타내는 표현(last year)이 있으므로 was를 쓴다.
(▶ POINT 2)

해석 그녀는 작년에 초등학생이었다.

50 해설 주어가 She인 be동사 현재형의 부정문: is not[isn't] (▶ POINT 3)

해석 그녀는 키가 크지 않다.

51 해설 주어 His hometown은 3인칭 단수이므로 is를 쓴다. (▶ POINT 1)

해석 그의 고향은 샌프란시스코이다.

52 해설 주어가 He이므로 is를 쓴다. (▶ POINT 1)

해석 그는 음악가이다.

53 해설 주어가 He이고 과거를 나타내는 표현(before)이 있으므로 was를 쓴다.
(▶ POINT 2)

해석 그는 전에 운동선수였다.

54 해설 주어가 He인 be동사 현재형의 부정문: is not[isn't] (▶ POINT 3)

해석 그는 수줍음을 많이 타지 않는다.

# CHAPTER 02

## 일반동사

### POINT 1 일반동사의 현재형 p. 26

1 I have two umbrellas. 나는 우산 두 개를 가지고 있다.
→ She has two umbrellas. 그녀는 우산 두 개를 가지고 있다.

2 Monkeys climb trees well. 원숭이들은 나무를 잘 탄다.
→ My cat climbs trees well. 나의 고양이는 나무를 잘 탄다.

3 Davis enjoys surfing in summer. Davis는 여름에 서핑을 즐긴다.
→ They enjoy surfing in summer. 그들은 여름에 서핑을 즐긴다.

4 We watch a movie once a month. 우리는 한 달에 한 번 영화를 본다.
→ The actor watches a movie once a month.
그 배우는 한 달에 한 번 영화를 본다.

5 My grandmother worries about my health.
나의 할머니는 나의 건강을 걱정하신다.
→ My mom and dad worry about my health.
나의 엄마와 아빠는 나의 건강을 걱정하신다.

6 I like cheeseburgers.

7 An airplane flies very high.

8 Our skin becomes dry easily in winter.

9 You have a fever.

10 My sister dries her hair in the bathroom.

11 He brushes his teeth before bed.

12 Emma does yoga on weekends.

### POINT 2 일반동사의 과거형 p. 27

1 I drop the basket. 나는 바구니를 떨어뜨린다.
→ I dropped the basket. 나는 바구니를 떨어뜨렸다.

2 They order sandwiches. 그들은 샌드위치를 주문한다.
→ They ordered sandwiches. 그들은 샌드위치를 주문했다.

3 My family moves to another place. 나의 가족은 다른 곳으로 이사한다.
→ My family moved to another place. 나의 가족은 다른 곳으로 이사했다.

4 The baseball player hits the ball. 그 야구 선수는 공을 친다.
→ The baseball player hit the ball. 그 야구 선수는 공을 쳤다.

5 She meets Ben at the gym. 그녀는 체육관에서 Ben을 만난다.
→ She met Ben at the gym. 그녀는 체육관에서 Ben을 만났다.

6 Jake and I carried the packages.

7 We stayed in Hong Kong last week.

8 Ted drank juice.

9 He cut his hair yesterday.

10 Rose planned her trip a week ago.

11 Your team won the first game.

12 My brother cooked pasta this morning.

### POINT 3 일반동사의 부정문 p. 28

1 I ate pizza for lunch. 나는 점심으로 피자를 먹었다.
→ I did not[didn't] eat pizza for lunch. 나는 점심으로 피자를 먹지 않았다.

2 Andy knows you. Andy는 너를 알고 있다.
→ Andy does not[doesn't] know you. Andy는 너를 알지 못한다.

3 Those plants grow fast. 저 식물들은 빨리 자란다.
→ Those plants do not[don't] grow fast. 저 식물들은 빨리 자라지 않는다.

4 She listens to the radio at night. 그녀는 밤에 라디오를 듣는다.
→ She does not[doesn't] listen to the radio at night.

그녀는 밤에 라디오를 듣지 않는다.

5 My brother studied hard for the exam.
나의 남동생은 시험공부를 열심히 했다.
→ My brother did not[didn't] study hard for the exam.
나의 남동생은 시험공부를 열심히 하지 않았다.

6 They speak Korean well. 그들은 한국말을 잘한다.
→ They do not[don't] speak Korean well. 그들은 한국말을 잘하지 못한다.

7 This lotion does not[doesn't] smell good.

8 It did not[didn't] rain last night.

9 My parents do not[don't] work on weekends.

10 Josie and Sue did not[didn't] do their best in the game.

11 We do not[don't] live in Seoul.

12 Daniel did not[didn't] take a family photo.

13 He does not[doesn't] clean his room every day.

14 The students do not[don't] walk to school.

### POINT 4 일반동사의 의문문 p. 29

1 The baby slept all night. 그 아기는 밤새 잠을 잤다.
→ Did the baby sleep all night? 그 아기는 밤새 잠을 잤니?

2 Annie wants dessert now. Annie는 지금 디저트를 원한다.
→ Does Annie want dessert now? Annie는 지금 디저트를 원하니?

3 Your sister practiced the piano. 너의 여동생은 피아노를 연습했다.
→ Did your sister practice the piano? 너의 여동생은 피아노를 연습했니?

4 They learn Spanish at school. 그들은 학교에서 스페인어를 배운다.
→ Do they learn Spanish at school? 그들은 학교에서 스페인어를 배우니?

5 She rides a bicycle every day. 그녀는 매일 자전거를 탄다.
→ Does she ride a bicycle every day? 그녀는 매일 자전거를 타니?

6 Carl and Aaron fought yesterday. Carl과 Aaron은 어제 싸웠다.
→ Did Carl and Aaron fight yesterday? Carl과 Aaron은 어제 싸웠니?

7 Owls have big eyes. 올빼미들은 큰 눈을 가지고 있다.
→ Do owls have big eyes? 올빼미들은 큰 눈을 가지고 있니?

8 A: Does that bus stop here? 저 버스는 여기 정차하니?
B: Yes, it does. 응, 그래.

9 A: Did your family travel on Christmas?
너의 가족은 크리스마스에 여행을 갔니?
B: No, we didn't. 아니, 그러지 않았어.

10 A: Do Mike and Jack keep a diary? Mike와 Jack은 일기를 쓰니?
B: Yes, they do. 응, 그래.

11 A: Does he like spicy food? 그는 매운 음식을 좋아하니?
B: No, he doesn't. 아니, 그렇지 않아.

12 A: Did you close the window? 너는 창문을 닫았니?
B: Yes, I did. 응, 그랬어.

13 A: Do your brothers go to the gym every morning?
너의 남동생들은 매일 아침에 체육관에 가니?
B: No, they don't. 아니, 그렇지 않아.

14 A: Did Ms. White call you? White 선생님이 너에게 전화하셨니?
B: No, she didn't. 아니, 그러지 않았어.

### 기출문제 풀고 짝문제로 마무리! p. 30

01 Nayeon looks happy.

02 Do Mina and Minji live in Busan?

03 Today, I got up late at ten o'clock.

04 The student did not[didn't] bring his English book.

05 Nick washes his face after breakfast.

06 We need a new computer.

07 Does the sun rise in the east?

08 My brother fell down the stairs yesterday.

**09** The guest didn't answer the phone.

**10** Lisa always tries her best.

**11** They do not[don't] ride their bikes to school.

**12** Did you forget my birthday?

**13** Every Sunday morning, he ⓐ goes to the park. In the park, he ⓑ walks around the lake. Then, he ⓒ sits on a bench and ⓓ enjoys the sunshine.

**14** Susie ⓐ arrived at school at 8:30 A.M. She ⓑ had lunch with friends at 12 P.M. She ⓒ came home at 4:30 P.M. She ⓓ studied Chinese at 7 P.M.

**15** The museum does not[doesn't] open on Mondays.

**16** Did Alex close the garage door?

**17** Her name is Eva. She ⓐ teaches science at a middle school. She ⓑ loves her students. On weekends, she ⓒ practices taekwondo and ⓓ draws pictures.

**18** After dinner, Jincheol ⓐ did exercise. His sister ⓑ read a novel in her room. His mom ⓒ took a shower. His dad ⓓ watched TV in the living room.

**19** Kevin does not[doesn't] eat meat.

**20** The man put his jacket on the chair.

**21** Do bears sleep all winter?

**22** My sister did not[didn't] meet her friends today.

**23** Did he do the laundry?

**24** Cherry blossoms bloom in spring.

**25** I do not[don't] drink coffee.

**26** We knitted sweaters yesterday.

**27** Does the supermarket sell fruit?

**28** Max did not[didn't] tell his secret to us.

**29** Did they do their homework?

**30** My dog runs very fast.

**31** A: Did Clara break the window?
B: No, she didn't. Henry broke the window.

**32** A: Does your brother use a laptop?
B: No, he doesn't.

**33** A: Did the chickens lay eggs?
B: Yes, they did. They laid five eggs.

**34** A: Do you and Amy know my address?
B: No, we don't.

**35** My father works at an elementary school.

**36** The early bird catches the worm.

**37** Yesterday, I ⓐ woke up at nine o'clock. I ⓑ wrote a letter and ⓒ sent it to my cousin. After dinner, I ⓓ made apple pies. They were delicious.

**38** The bakery bakes bread every morning.

**39** The baby cries a lot at night.

**40** My family ⓐ went to Jejudo last weekend. We ⓑ stayed at a hanok guesthouse. We ⓒ saw a wonderful waterfall and ⓓ climbed Mt. Halla. We had a lot of fun.

**41** A: Did the kids eat lunch at 11 A.M.?
B: No, they didn't. They ate lunch at noon.

**42** A: Does the store sell children's clothes?
B: No, it doesn't. It sells jewelry.

**43** A: Did she swim in the sea?
B: No, she didn't. She swam in the pool.

**44** A: Do you clean your room in the morning?
B: No, I don't. I clean my room in the evening.

**45** Yujin likes monkeys.
Dayoung doesn't like cats.

**46** Dayoung and I like dogs.
Yujin and I don't like snakes.

**47** Tom plays baseball.
Eric doesn't play hockey.

**48** You and Eric play soccer.
You and Tom don't play tennis.

---

**01** 해설 주어 Nayeon은 3인칭 단수이므로 look을 looks로 고쳐야 한다. (▶ POINT 1)

**02** 해설 주어가 「A and B」 형태인 일반동사 현재형의 의문문: 「Do + 주어 + 동사원형 ~?」 (▶ POINT 4)

**03** 해설 get의 과거형은 got이다. (▶ POINT 2)

**04** 해설 일반동사 과거형의 부정문: 「did not[didn't] + 동사원형」 (▶ POINT 3)

**05** 해설 -sh로 끝나는 단어는 -es를 붙이므로 washs를 washes로 고쳐야 한다. (▶ POINT 1)

**06** 해설 주어 We는 1인칭이므로 needs를 need로 고쳐야 한다. (▶ POINT 1)

**07** 해설 주어가 3인칭 단수인 일반동사 현재형의 의문문: 「Does + 주어 + 동사원형 ~?」 (▶ POINT 4)

**08** 해설 fall의 과거형은 fell이다. (▶ POINT 2)

**09** 해설 일반동사 과거형의 부정문: 「did not[didn't] + 동사원형」 (▶ POINT 3)

**10** 해설 「자음 + y」로 끝나는 단어는 y를 i로 바꾸고 -es를 붙이므로 trys를 tries로 고쳐야 한다. (▶ POINT 1)

**11** 해설 주어가 3인칭 복수인 일반동사 현재형의 부정문: 「do not[don't] + 동사원형」 (▶ POINT 3)
해석 그들은 그들의 자전거를 타고 학교에 간다.
→ 그들은 그들의 자전거를 타고 학교에 가지 않는다.

**12** 해설 일반동사 과거형의 의문문: 「Did + 주어 + 동사원형 ~?」 (▶ POINT 4)
해석 너는 나의 생일을 잊었다.
→ 너는 나의 생일을 잊었니?

**13** 해설 주어 he는 3인칭 단수이므로 동사원형에 -(e)s를 붙인다. (▶ POINT 1)
해석 매주 일요일 아침, 나는 공원에 간다. 공원에서, 나는 호수 주변을 걷는다. 그러고 나서, 나는 벤치에 앉아 햇볕을 즐긴다.
→ 매주 일요일 아침, 그는 공원에 간다. 공원에서, 그는 호수 주변을 걷는다. 그러고 나서, 그는 벤치에 앉아 햇볕을 즐긴다.

**14** 해설 arrive의 과거형은 arrived, have의 과거형은 had, come의 과거형은 came, study의 과거형은 studied이다. (▶ POINT 2)
해석 Susie는 오전 8시 30분에 학교에 도착한다. 그녀는 오후 12시에 친구들과 점심을 먹는다. 그녀는 오후 4시 30분에 집에 온다. 그녀는 오후 7시에 중국어를 공부한다.
→ Susie는 오전 8시 30분에 학교에 도착했다. 그녀는 오후 12시에 친구들과 점심을 먹었다. 그녀는 오후 4시 30분에 집에 왔다. 그녀는 오후 7시에 중국어를 공부했다.

**15** 해설 주어가 3인칭 단수인 일반동사 현재형의 부정문: 「does not[doesn't] + 동사원형」 (▶ POINT 3)
해석 그 박물관은 월요일에 문을 연다.
→ 그 박물관은 월요일에 문을 열지 않는다.

**16** 해설 일반동사 과거형의 의문문: 「Did + 주어 + 동사원형 ~?」 (▶ POINT 4)
해석 Alex는 차고 문을 닫았다.
→ Alex는 차고 문을 닫았니?

**17** 해설 주어 she는 3인칭 단수이므로 동사원형에 -(e)s를 붙인다. (▶ POINT 1)
해석 나의 이름은 Eva이다. 나는 중학교에서 과학을 가르친다. 나는 나의 학생들을 사랑한다. 주말에, 나는 태권도를 연습하고 그림을 그린다.
→ 그녀의 이름은 Eva이다. 그녀는 중학교에서 과학을 가르친다. 그녀는 그녀의 학생들을 사랑한다. 주말에, 그녀는 태권도를 연습하고 그림을 그린다.

**18** 해설 do의 과거형은 did, read의 과거형은 read, take의 과거형은 took, watch의 과거형은 watched이다. (▶ POINT 2)
해석 저녁 식사 후에, 진철이는 운동을 한다. 그의 여동생은 그녀의 방에서 소설을 읽는다. 그의 엄마는 샤워를 하신다. 그의 아빠는 거실에서 TV를 보신다.
→ 저녁 식사 후에, 진철이는 운동을 했다. 그의 여동생은 그녀의 방에서

소설을 읽었다. 그의 엄마는 샤워를 하셨다. 그의 아빠는 거실에서 TV를 보셨다.

**19** 해설 주어가 3인칭 단수인 일반동사 현재형의 부정문: 「does not[doesn't] + 동사원형」(▶ POINT 3)

**20** 해설 '~했다'라는 과거의 의미이므로 과거형으로 쓴다. (▶ POINT 2)

**21** 해설 주어가 3인칭 복수인 일반동사 현재형의 의문문: 「Do + 주어 + 동사원형 ~?」(▶ POINT 4)

**22** 해설 일반동사 과거형의 부정문: 「did not[didn't] + 동사원형」(▶ POINT 3)

**23** 해설 일반동사 과거형의 의문문: 「Did + 주어 + 동사원형 ~?」(▶ POINT 4)

**24** 해설 '~한다'라는 현재의 의미이므로 현재형으로 쓴다. (▶ POINT 1)

**25** 해설 주어가 1인칭인 일반동사 현재형의 부정문: 「do not[don't] + 동사원형」(▶ POINT 3)

**26** 해설 '~했다'라는 과거의 의미이므로 과거형으로 쓴다. (▶ POINT 2)

**27** 해설 주어가 3인칭 단수인 일반동사 현재형의 의문문: 「Does + 주어 + 동사원형 ~?」(▶ POINT 4)

**28** 해설 일반동사 과거형의 부정문: 「did not[didn't] + 동사원형」(▶ POINT 3)

**29** 해설 일반동사 과거형의 의문문: 「Did + 주어 + 동사원형 ~?」(▶ POINT 4)

**30** 해설 '~한다'라는 현재의 의미이므로 현재형으로 쓴다. (▶ POINT 1)

**31** 해설 일반동사 과거형의 의문문과 부정의 답변: 「Did + 주어 + 동사원형 ~?」/「No, 주어 + didn't.」(▶ POINT 4)

**32** 해설 주어가 3인칭 단수인 일반동사 현재형의 의문문과 부정의 답변: 「Does + 주어 + 동사원형 ~?」/「No, 주어 + doesn't.」(▶ POINT 4)

**33** 해설 일반동사 과거형의 의문문과 긍정의 답변: 「Did + 주어 + 동사원형 ~?」/「Yes, 주어 + did.」(▶ POINT 4)

**34** 해설 주어가 「A and B」 형태인 일반동사 현재형의 의문문과 주어가 1인칭인 부정의 답변: 「Do + 주어 + 동사원형 ~?」/「No, 주어 + don't.」(▶ POINT 4)

**35** 해설 '~한다'라는 현재의 의미이며 주어가 3인칭 단수이므로 동사원형에 -(e)s를 붙인다. (▶ POINT 1)

**36** 해설 '~한다'라는 현재의 의미이며 주어가 3인칭 단수이므로 동사원형에 -(e)s를 붙인다. (▶ POINT 1)

**37** 해설 맥락상 과거(Yesterday)의 일을 나타내므로 과거형으로 쓴다. (▶ POINT 2)
해석 어제, 나는 9시에 일어났다. 나는 편지를 써서 나의 사촌에게 보냈다. 저녁 식사 후에, 나는 사과파이들을 만들었다. 그것들은 맛있었다.

**38** 해설 '~한다'라는 현재의 의미이며 주어가 3인칭 단수이므로 동사원형에 -(e)s를 붙인다. (▶ POINT 1)

**39** 해설 '~한다'라는 현재의 의미이며 주어가 3인칭 단수이므로 동사원형에 -(e)s를 붙인다. (▶ POINT 1)

**40** 해설 맥락상 과거(last weekend)의 일을 나타내므로 과거형으로 쓴다. (▶ POINT 2)
해석 나의 가족은 지난 주말에 제주도에 갔다. 우리는 한옥 숙소에서 머물렀다. 우리는 멋진 폭포를 보았고 한라산을 등반했다. 우리는 아주 재미있었다.

**41** 해설 eat의 과거형은 ate이다. (▶ POINT 2)
해석 A: 그 아이들은 오전 11시에 점심을 먹었니?
B: 아니, 그러지 않았어. 그들은 정오에 점심을 먹었어.

**42** 해설 주어가 3인칭 단수이므로 동사원형에 -(e)s를 붙인다. (▶ POINT 1)
해석 A: 그 가게는 아동복을 판매하니?
B: 아니, 그렇지 않아. 그곳은 보석류를 판매해.

**43** 해설 swim의 과거형은 swam이다. (▶ POINT 2)
해석 A: 그녀는 바다에서 수영했니?
B: 아니, 그러지 않았어. 그녀는 수영장에서 수영했어.

**44** 해설 주어가 1인칭이므로 동사원형을 쓴다. (▶ POINT 1)
해석 A: 너는 아침에 너의 방을 청소하니?
B: 아니, 그렇지 않아. 나는 저녁에 나의 방을 청소해.

**45~46** 해석

|  | 나 | 유진 | 다영 |
|---|---|---|---|
| 좋아요 | 강아지 | 원숭이 | 강아지 |
| 싫어요 | 뱀 | 뱀 | 고양이 |

― <예시> ―
나는 강아지를 좋아한다. 나는 뱀을 좋아하지 않는다.

**45** 해설 첫 번째 빈칸: 주어가 3인칭 단수이므로 동사원형에 -(e)s를 붙인다. (▶ POINT 1)
두 번째 빈칸: 주어가 3인칭 단수인 일반동사 현재형의 부정문: 「doesn't + 동사원형」(▶ POINT 3)
해석 유진은 원숭이를 좋아한다. 다영은 고양이를 좋아하지 않는다.

**46** 해설 첫 번째 빈칸: 주어가 「A and B」 형태이므로 동사원형을 쓴다. (▶ POINT 1)
두 번째 빈칸: 주어가 「A and B」 형태인 일반동사 현재형의 부정문: 「don't + 동사원형」(▶ POINT 3)
해석 다영과 나는 강아지를 좋아한다. 유진과 나는 뱀을 좋아하지 않는다.

**47~48** 해석

|  | 너 | Tom | Eric |
|---|---|---|---|
| 하는 운동 | 축구 | 야구 | 축구 |
| 하지 않는 운동 | 테니스 | 테니스 | 하키 |

― <예시> ―
너는 축구를 한다. 너는 테니스를 하지 않는다.

**47** 해설 첫 번째 빈칸: 주어가 3인칭 단수이므로 동사원형에 -(e)s를 붙인다. (▶ POINT 1)
두 번째 빈칸: 주어가 3인칭 단수인 일반동사 현재형의 부정문: 「doesn't + 동사원형」(▶ POINT 3)
해석 Tom은 야구를 한다. Eric은 하키를 하지 않는다.

**48** 해설 첫 번째 빈칸: 주어가 「A and B」 형태이므로 동사원형을 쓴다. (▶ POINT 1)
두 번째 빈칸: 주어가 「A and B」 형태인 일반동사 현재형의 부정문: 「don't + 동사원형」(▶ POINT 3)
해석 너와 Eric은 축구를 한다. 너와 Tom은 테니스를 하지 않는다.

# CHAPTER 03

## 시제

1 He reads a magazine. 그는 잡지를 읽는다.
 → He is[He's] reading a magazine. 그는 잡지를 읽고 있다.

2 The birds fly high. 그 새들은 높이 난다.
 → The birds are flying high. 그 새들은 높이 날고 있다.

3 The zebras run fast. 그 얼룩말들은 빠르게 달린다.
 → The zebras are running fast. 그 얼룩말들은 빠르게 달리고 있다.

4 The boy writes a letter. 그 소년은 편지를 쓴다.
 → The boy is writing a letter. 그 소년은 편지를 쓰고 있다.

5 They clap their hands. 그들은 손뼉을 친다.
 → They are[They're] clapping their hands. 그들은 손뼉을 치고 있다.

6 I am[I'm] tying my shoelaces.

7 Henry is drawing cartoons.

8 A child is cutting colored paper.

9 We are[We're] baking cookies.

10 My brother and sister are sleeping in bed.

11 She is[She's] cleaning the kitchen.

12 My friends are planning a big party.

1 He is coming. 그가 오고 있다.
 → Is he coming? 그가 오고 있니?

2 It is raining. 비가 오고 있다.
 → It's not[It isn't] raining. 비가 오고 있지 않다.

3 Three cats are lying on my bed.
 고양이 세 마리가 나의 침대 위에 누워 있다.
 → Are three cats lying on my bed?
 고양이 세 마리가 나의 침대 위에 누워 있니?

4 I am talking on the phone. 나는 통화하고 있다.
 → I'm not talking on the phone. 나는 통화하고 있지 않다.

5 The students are playing basketball. 그 학생들은 농구를 하고 있다.
 → The students are not[aren't] playing basketball.
 그 학생들은 농구를 하고 있지 않다.

6 Tim is taking a walk now. Tim은 지금 산책을 하고 있다.
 → Is Tim taking a walk now? Tim은 지금 산책을 하고 있니?

7 Is she sending a text message to Minsu?

8 The player is not[isn't] staying at this hotel.

9 Sue and Bobby are not[aren't] singing.

10 Are you studying English?

11 I am[I'm] not doing yoga now.

12 Are they watching a movie?

13 Is the kid waiting for his mother?

14 That girl is not[isn't] smiling.

1 My brother will buy a new bicycle.

2 Eunjung is going to take the train soon.

3 I will meet my old friend tomorrow.

4 The children are going to make a snowman.

5 The concert will start at 4 P.M.

6 Clark and I are going to join the writing club.

7 She will be a good teacher.

8 I am going to cook curry this evening.

9 He is going to exercise today.

10 Jerry will go to church this Sunday.

11 They are going to leave soon.

1 Is your family going to eat out tonight?

2 They will not climb the mountain tomorrow.

3 Are Sam and Carl going to visit Busan next week?

4 My dad is not going to wash his car today.

5 Will Matt use the camera?

6 The bus will not[won't] arrive on time.

7 Are you going to move to Florida?

8 I am[I'm] not going to wear a skirt today.

9 Will she order pizza for lunch?

10 My cousins are not[aren't] going to come to my birthday party.

11 Is he going to cancel his trip?

01 The girl is sitting on the bench.

02 My friend and I will not[won't] take the bus.

03 Is Daniel going to wash the dishes?

04 He is not[He's not/He isn't] exercising at the gym.

05 They are not[They're not/They aren't] going to catch fish tonight.

06 The eagles are flying in the sky.

07 My sister will not[won't] join the school band.

08 Are you going to call him?

09 The kids are not[aren't] solving math problems.

10 The shop is not[isn't] going to open tomorrow.

11 She will not send the e-mail.

12 I am looking for a keyboard.

13 The man is going to fix my computer.

14 My parents aren't watching TV now.

15 Is your dog enjoying the sunshine?

16 Will Chris learn a musical instrument?

17 David will not forget this moment.

18 A woman is crossing the road.

19 We are going to visit the museum.

20 Emily isn't driving now.

21 Are you having a good time?

22 Will they make sandwiches?

23 Q: What is the boy doing?
 A: He is[He's] taking a photo.
 Q: What is the girl doing?
 A: She is[She's] posing for a picture.

24 Q: What are they doing?
 A: They are[They're] planting seeds.

25 Q: Do you have plans for the weekend?
 A: Yes, I do. I am going to study in the library.

26 Q: What is the man doing?
 A: He is[He's] riding a bike.

Q: What is the woman doing?
A: She is[She's] drawing a landscape.

27 Q: What are they doing?
A: They are[They're] jumping rope.

28 Q: What are your plans for the weekend?
A: I am going to dance in the studio.

29 A: Is the child combing his hair?
B: Yes, he is.

30 My family is going to go to the zoo.

31 A: Are Tony and Luke painting the fence?
B: Yes, they are.

32 He is going to go to the hospital.

33 Cathy is doing her homework now.

34 Lily has an important test tomorrow. So she won't play computer games today.

35 Are you going to eat sushi tomorrow?

36 The students are planning a school festival.

37 It's too cold outside. So Jeremy won't walk to school today.

38 Is he going to buy new pants?

39 This is the library. The students are ⓐ reading books now. It's really quiet. They ⓑ aren't[are not] talking.

40 Last week, we got a new classmate. His name is Matthew. He ⓐ has blue eyes. He and I quickly became close. We will ⓑ cook pasta together this weekend.

41 Minho and Soyeon are ⓐ playing yunnori. It is a traditional Korean board game. Minho is good at yunnori. Oh, he ⓑ isn't[is not] winning.

42 My brother and I are at the flea market. I ⓐ want a backpack. Tomorrow, we will ⓑ sell things, too. We found many good items around the house.

43 Q: What is Suhan doing today?
A: He is preparing for a presentation.

44 Q: What will Suhan do on Tuesday?
A: He will[is going to] see a famous musical.

45 Q: What will Suhan do on Wednesday?
A: He will[is going to] jog in the park.

46 Q: What is Sara doing now?
A: She is wrapping the presents.

47 Q: What will Sara do at 2 P.M.?
A: She will[is going to] practice the violin.

48 Q: What will Sara do at 4 P.M.?
A: She will[is going to] clean the house.

---

01 [해설] 현재진행시제: 「am/is/are + V-ing」 (▶ POINT 1)
[해석] 그 소녀는 벤치에 앉는다.
→ 그 소녀는 벤치에 앉아 있다.

02 [해설] will의 부정문: 「will not[won't] + 동사원형」 (▶ POINT 4)
[해석] 나의 친구와 나는 그 버스를 탈 것이다.
→ 나의 친구와 나는 그 버스를 타지 않을 것이다.

03 [해설] be going to의 의문문: 「be동사 + 주어 + going to + 동사원형 ~?」 (▶ POINT 4)
[해석] Daniel은 설거지를 한다.
→ Daniel은 설거지를 할 거니?

04 [해설] 현재진행시제의 부정문: 「am/is/are + not + V-ing」 (▶ POINT 2)
[해석] 그는 체육관에서 운동하고 있다.
→ 그는 체육관에서 운동하고 있지 않다.

05 [해설] be going to의 부정문: 「be동사 + not going to + 동사원형」 (▶ POINT 4)
[해석] 그들은 오늘 밤에 물고기들을 잡을 것이다.
→ 그들은 오늘 밤에 물고기들을 잡지 않을 것이다.

06 [해설] 현재진행시제: 「am/is/are + V-ing」 (▶ POINT 1)
[해석] 독수리들이 하늘을 난다.
→ 독수리들이 하늘을 날고 있다.

07 [해설] will의 부정문: 「will not[won't] + 동사원형」 (▶ POINT 4)
[해석] 나의 여동생은 학교 음악대에 가입할 것이다.
→ 나의 여동생은 학교 음악대에 가입하지 않을 것이다.

08 [해설] be going to의 의문문: 「be동사 + 주어 + going to + 동사원형 ~?」 (▶ POINT 4)
[해석] 너는 그에게 전화한다.
→ 너는 그에게 전화할 거니?

09 [해설] 현재진행시제의 부정문: 「am/is/are + not + V-ing」 (▶ POINT 2)
[해석] 그 아이들은 수학 문제들을 풀고 있다.
→ 그 아이들은 수학 문제들을 풀고 있지 않다.

10 [해설] be going to의 부정문: 「be동사 + not going to + 동사원형」 (▶ POINT 4)
[해석] 그 가게는 내일 문을 열 것이다.
→ 그 가게는 내일 문을 열지 않을 것이다.

11 [해설] '~하지 않을 것이다'는 미래시제의 부정문으로 나타내며, 6단어이므로 「will not + 동사원형」 형태로 쓴다. (▶ POINT 4)

12 [해설] '~하고 있다'는 현재진행시제로 나타낸다. (▶ POINT 1)

13 [해설] '~할 것이다'는 미래시제로 나타내며, 8단어이므로 「be going to + 동사원형」 형태로 쓴다. (▶ POINT 3)

14 [해설] '~하고 있지 않다'는 현재진행시제의 부정문으로 나타낸다. (▶ POINT 2)

15 [해설] '~하고 있니?'는 현재진행시제의 의문문으로 나타낸다. (▶ POINT 2)

16 [해설] '~할 거니?'는 미래시제의 의문문으로 나타내며, 6단어이므로 「Will + 주어 + 동사원형 ~?」 형태로 쓴다. (▶ POINT 4)

17 [해설] '~하지 않을 것이다'는 미래시제의 부정문으로 나타내며, 6단어이므로 「will not + 동사원형」 형태로 쓴다. (▶ POINT 4)

18 [해설] '~하고 있다'는 현재진행시제로 나타낸다. (▶ POINT 1)

19 [해설] '~할 것이다'는 미래시제로 나타내며, 7단어이므로 「be going to + 동사원형」 형태로 쓴다. (▶ POINT 3)

20 [해설] '~하고 있지 않다'는 현재진행시제의 부정문으로 나타낸다. (▶ POINT 2)

21 [해설] '~하고 있니?'는 현재진행시제의 의문문으로 나타낸다. (▶ POINT 2)

22 [해설] '~할 거니?'는 미래시제의 의문문으로 나타내며, 4단어이므로 「Will + 주어 + 동사원형 ~?」 형태로 쓴다. (▶ POINT 4)

23 [해설] 현재진행시제로 질문했으므로 현재진행시제로 답변한다. (▶ POINT 1)
[해석] Q: 그 소년은 무엇을 하고 있니?
A: 그는 사진을 찍고 있어.
Q: 그 소녀는 무엇을 하고 있니?
A: 그녀는 사진을 찍기 위해 포즈를 취하고 있어.

24 [해설] 현재진행시제로 질문했으므로 현재진행시제로 답변한다. (▶ POINT 1)
[해석] Q: 그들은 무엇을 하고 있니?
A: 그들은 씨앗들을 심고 있어.

25 [해설] 미래 계획은 미래시제로 나타내며, 빈칸 수에 맞춰 「be going to + 동사원형」 형태로 쓴다. (▶ POINT 3)
[해석] Q: 너는 주말에 계획이 있니?
A: 응, 그래. 나는 도서관에서 공부할 거야.

26 [해설] 현재진행시제로 질문했으므로 현재진행시제로 답변한다. (▶ POINT 1)
[해석] Q: 그 남자는 무엇을 하고 있니?
A: 그는 자전거를 타고 있어.
Q: 그 여자는 무엇을 하고 있니?
A: 그녀는 풍경화를 그리고 있어.

27 [해설] 현재진행시제로 질문했으므로 현재진행시제로 답변한다. (▶ POINT 1)
[해석] Q: 그들은 무엇을 하고 있니?
A: 그들은 줄넘기를 하고 있어.

28 [해설] 미래 계획은 미래시제로 나타내며, 빈칸 수에 맞춰 「be going to + 동사원형」 형태로 쓴다. (▶ POINT 3)

**[해석]** Q: 너는 주말에 무엇을 할 계획이니?
A: 나는 연습실에서 춤을 출 거야.

**29** **[해설]** 「Is + 주어 + V-ing ~?」(▶ POINT 2)
**[해석]** A: 그 아이는 머리를 빗고 있니?
B: 응, 그래.

**30** **[해설]** 「be going to + 동사원형」(▶ POINT 3)
**[해석]** 나의 가족은 동물원에 갈 것이다.

**31** **[해설]** 「Are + 주어 + V-ing ~?」(▶ POINT 2)
**[해석]** A: Tony와 Luke는 울타리를 칠하고 있니?
B: 응, 그래.

**32** **[해설]** 「be going to + 동사원형」(▶ POINT 3)
**[해석]** 그는 병원에 갈 것이다.

**33** **[해설]** '~하고 있다'는 현재진행시제로 나타낸다. (▶ POINT 1)

**34** **[해설]** '~하지 않을 것이다'는 미래시제의 부정문으로 나타내며, 빈칸 수에 맞춰 「won't + 동사원형」 형태로 쓴다. (▶ POINT 4)

**35** **[해설]** '~할 거니?'는 미래시제의 의문문으로 나타내며, 빈칸 수에 맞춰 「be동사 + 주어 + going to + 동사원형 ~?」 형태로 쓴다. (▶ POINT 4)

**36** **[해설]** '~하고 있다'는 현재진행시제로 나타낸다. (▶ POINT 1)

**37** **[해설]** '~하지 않을 것이다'는 미래시제의 부정문으로 나타내며, 빈칸 수에 맞춰 「won't + 동사원형」 형태로 쓴다. (▶ POINT 4)

**38** **[해설]** '~할 거니?'는 미래시제의 의문문으로 나타내며, 빈칸 수에 맞춰 「be동사 + 주어 + going to + 동사원형 ~?」 형태로 쓴다. (▶ POINT 4)

**39** **[해설]** ⓐ 현재진행시제: 「am/is/are + V-ing」 (▶ POINT 1)
ⓑ 현재진행시제의 부정문: 「am/is/are + not + V-ing」 (▶ POINT 2)
**[해석]** 여기는 도서관이다. 학생들은 지금 책을 읽고 있다. 정말 조용하다. 그들은 말하고 있지 않다.

**40** **[해설]** ⓐ have와 같은 소유나 상태를 나타내는 동사는 현재진행시제로 쓸 수 없으므로 has로 고쳐야 한다. (▶ POINT 1)
ⓑ will 뒤에는 동사원형을 써야 하므로 cook으로 고쳐야 한다. (▶ POINT 3)
**[해석]** 지난주에, 우리 반에 새로운 학생이 왔다. 그의 이름은 Matthew이다. 그는 푸른 눈을 가지고 있다. 그와 나는 금세 친해졌다. 우리는 이번 주말에 함께 파스타를 요리할 것이다.

**41** **[해설]** ⓐ 현재진행시제: 「am/is/are + V-ing」 (▶ POINT 1)
ⓑ 현재진행시제의 부정문: 「am/is/are + not + V-ing」 (▶ POINT 2)
**[해석]** 민호와 소연은 윷놀이를 하고 있다. 그것은 한국의 전통 보드게임이다. 민호는 윷놀이를 잘한다. 오, 그는 이기고 있지 않다.

**42** **[해설]** ⓐ want와 같은 소유나 상태를 나타내는 동사는 현재진행시제로 쓸 수 없으므로 want로 고쳐야 한다. (▶ POINT 1)
ⓑ will 뒤에는 동사원형을 써야 하므로 sell로 고쳐야 한다. (▶ POINT 3)
**[해석]** 나의 남동생과 나는 벼룩시장에 있다. 나는 배낭을 원한다. 내일, 우리도 물건들을 팔 것이다. 우리는 집에서 많은 좋은 물건들을 발견했다.

**43**
**45** **[해석]** 수한의 일정표

| 월요일 (오늘) | 발표 준비하기 |
| --- | --- |
| 화요일 | 유명한 뮤지컬 보기 |
| 수요일 | 공원에서 조깅하기 |

**43** **[해설]** 현재진행시제로 질문했으므로 현재진행시제로 답변한다. (▶ POINT 1)
**[해석]** Q: 수한은 오늘 무엇을 하고 있니?
A: 그는 발표를 준비하고 있어.

**44** **[해설]** 미래시제로 질문했으므로 미래시제로 답변한다. (▶ POINT 3)
**[해석]** Q: 수한은 화요일에 무엇을 할 거니?
A: 그는 유명한 뮤지컬을 볼 거야.

**45** **[해설]** 미래시제로 질문했으므로 미래시제로 답변한다. (▶ POINT 3)
**[해석]** Q: 수한은 수요일에 무엇을 할 거니?
A: 그는 공원에서 조깅을 할 거야.

**46**
**48** **[해석]** Sara의 일정표

| 오전 11시 (지금) | 선물들 포장하기 |
| --- | --- |
| 오후 2시 | 바이올린 연습하기 |
| 오후 4시 | 집 청소하기 |

**46** **[해설]** 현재진행시제로 질문했으므로 현재진행시제로 답변한다. (▶ POINT 1)
**[해석]** Q: Sara는 지금 무엇을 하고 있니?
A: 그녀는 선물들을 포장하고 있어.

**47** **[해설]** 미래시제로 질문했으므로 미래시제로 답변한다. (▶ POINT 3)
**[해석]** Q: Sara는 오후 2시에 무엇을 할 거니?
A: 그녀는 바이올린을 연습할 거야.

**48** **[해설]** 미래시제로 질문했으므로 미래시제로 답변한다. (▶ POINT 3)
**[해석]** Q: Sara는 오후 4시에 무엇을 할 거니?
A: 그녀는 집을 청소할 거야.

# CHAPTER 04
## 조동사

### POINT 1  조동사가 있는 문장 형태

1 You may go to the bathroom now. 너는 지금 화장실에 가도 된다.
  → You may not go to the bathroom now. 너는 지금 화장실에 가면 안 된다.
2 We should invite them. 우리는 그들을 초대해야 한다.
  → Should we invite them? 우리가 그들을 초대해야 하니?
3 Silvia can ride a skateboard. Silvia는 스케이트보드를 탈 수 있다.
  → Silvia cannot[can't] ride a skateboard.
     Silvia는 스케이트보드를 타지 못한다.
4 I must clean the floor. 나는 바닥을 청소해야 한다.
  → Must I clean the floor? 내가 바닥을 청소해야 하니?
5 Visitors must wait in line.
6 Can I borrow your umbrella?
7 You should not run in the hallway.
8 May I sit here?
9 The patient must not drink coffee.
10 We should be kind to our friends.
11 Can you order some food?
12 You may hang your jacket next to the door.
13 Peter cannot find his glasses.

### POINT 2  능력·허가·요청을 나타내는 can
p. 47

1 Jihyo can stand on her hands.
2 Can[May] I borrow your eraser?
3 Can you turn off the TV?
4 I cannot[can't] dance well.
5 Can frogs jump high?
6 Can[May] I see your passport?
7 You and Minha can[may] take a break.
8 Fish cannot[can't] live on land.
9 Can the girl ride a bicycle?
10 Can you open the door?
11 My father can fix this machine.

### POINT 3  의무·필요를 나타내는 must, have to
p. 48

1 We don't have to prepare dinner today.
2 The students had to use the stairs.
3 Jackson has to go to the airport tomorrow.
4 Do I have to visit the library?
5 You must not throw away trash here.
6 My sister and I have to wash the dishes.
7 You must sign this form.
8 Emily doesn't have to buy a new school uniform.
9 I had to return the book yesterday.
10 You must not be late for school again.

### POINT 4  충고·조언을 나타내는 should
p. 49

1 Erica should go to bed before 11 P.M.
2 Should I take the subway?
3 You should not[shouldn't] play computer games very often.
4 Jason should drink warm water.
5 You should write your name on the envelope.
6 We should not[shouldn't] waste time.
7 Should I bring a dictionary?
8 We should not[shouldn't] eat too much sugar.
9 She should wake up early tomorrow.
10 You should not[shouldn't] lose your wallet.
11 Should we be quiet here?

### 기출문제 풀고 짝문제로 마무리!
p. 50

01 She must do her homework today.
02 You may not watch TV now.
03 Do I have to send an e-mail?
04 Children shouldn't use an oven.
05 My brother has to buy new sneakers.
06 Must I change my password?
07 I can edit videos.
08 You must not touch this painting.
09 Does Kevin have to repair his laptop?
10 Elisa can't solve this math problem.
11 They have to move these boxes.
12 May I take your order?
13 Can you call me at three o'clock?
14 You may turn on the air conditioner.
15 We don't have to hurry.
16 You should rest at home.
17 The man had to show his ID card.
18 Can I drink some water?
19 Can you throw the ball back to me?
20 You may do the work later.
21 Niki doesn't have to pay for it.
22 He should make a study plan.
23 She had to wash her puppy.
24 Can I enter your room?
25 Somin can ride a roller coaster, but she cannot[can't] run fast.
26 Yejin and Seojoon can run fast, but they can't swim.
27 Linda: Jane, can you speak Korean?
    Jane: Yes, I can. I'm interested in languages.
28 Jane: Linda, can you play basketball?
    Linda: Yes, I can.
    Jane: Really? I can't play basketball.
    Linda: I'll teach you.
29 Heejin can understand Chinese, but she cannot[can't] sing well.
30 Heejin, Hyosun, and Jaeyoung can ski, but Hyosun and Jaeyoung
    can't understand Chinese.
31 Chris: Andy, can you eat spicy food?
    Andy: Yes, I can. I like spicy food.
32 Andy: Chris, can you cook pasta?
    Chris: Yes, I can.
    Andy: Wow, that's cool. I can't cook pasta.
    Chris: I'll cook it for you.

**Chapter 04** 조동사  **11**

33 He doesn't have to keep Jenny's secret.

34 We had to wear helmets.

35 You don't have to help me.

36 Kale had to wait here.

37 You shouldn't listen to music during class.

38 You should raise your hand before talking.

39 You shouldn't eat food during class.

40 You should speak in English.

41 You shouldn't push anyone into the pool.

42 You should check the water's depth before entering.

43 You shouldn't bring glassware into the pool area.

44 You should take a shower before entering the pool.

45 You must not park here.

46 You must fasten your seat belt.

47 You must not take pictures here.

48 You must put the trash in the bin.

49 We should not[shouldn't] lie to our parents.

50 Tony should find another hobby.

51 We should not[shouldn't] say bad words.

52 Ann should clean her desk.

---

01 해설 「조동사 + 동사원형」 (▶ POINT 1)

02 해설 조동사가 있는 부정문: 「조동사 + not + 동사원형」 (▶ POINT 1)

03 해설 have to가 쓰인 의문문: 「Do[Does] + 주어 + have to + 동사원형 ~?」 (▶ POINT 3)

04 해설 「shouldn't + 동사원형」 (▶ POINT 1)

05 해설 「have to + 동사원형」 (▶ POINT 3)

06 해설 조동사가 있는 의문문: 「조동사 + 주어 + 동사원형 ~?」 (▶ POINT 1)

07 해설 「조동사 + 동사원형」 (▶ POINT 1)

08 해설 조동사가 있는 부정문: 「조동사 + not + 동사원형」 (▶ POINT 1)

09 해설 have to가 쓰인 의문문: 「Do[Does] + 주어 + have to + 동사원형 ~?」 (▶ POINT 3)

10 해설 「can't + 동사원형」 (▶ POINT 1)

11 해설 「have to + 동사원형」 (▶ POINT 3)

12 해설 조동사가 있는 의문문: 「조동사 + 주어 + 동사원형 ~?」 (▶ POINT 1)

13 해설 '~해 주겠니?'라는 요청을 나타낼 때는 can을 쓴다. (▶ POINT 2)

14 해설 '~해도 된다'라는 허가를 나타낼 때는 may를 쓴다. (▶ POINT 2)

15 해설 '~할 필요가 없다'라는 불필요를 나타낼 때는 don't[doesn't] have to를 쓴다. (▶ POINT 3)

16 해설 '~해야 한다'라는 충고를 나타낼 때는 should를 쓴다. (▶ POINT 4)

17 해설 '~해야 한다'라는 의무를 나타낼 때는 have to를 쓰며, have to의 과거형은 had to이다. (▶ POINT 3)

18 해설 '~해도 된다'라는 허가를 나타낼 때는 can을 쓴다. (▶ POINT 2)

19 해설 '~해 주겠니?'라는 요청을 나타낼 때는 can을 쓴다. (▶ POINT 2)

20 해설 '~해도 된다'라는 허가를 나타낼 때는 may를 쓴다. (▶ POINT 2)

21 해설 '~할 필요가 없다'라는 불필요를 나타낼 때는 don't[doesn't] have to를 쓴다. (▶ POINT 3)

22 해설 '~해야 한다'라는 충고를 나타낼 때는 should를 쓴다. (▶ POINT 4)

23 해설 '~해야 한다'라는 의무를 나타낼 때는 have to를 쓰며, have to의 과거형은 had to이다. (▶ POINT 3)

24 해설 '~해도 된다'라는 허가를 나타낼 때는 can을 쓴다. (▶ POINT 2)

---

25
26 해석

| | 롤러코스터 타기 | 빠르게 달리기 | 수영하기 |
|---|---|---|---|
| 소민 | O | X | O |
| 예진 | X | O | X |
| 서준 | O | O | X |

25 해설 '~할 수 있다'라는 능력을 나타낼 때는 can을 쓴다. (▶ POINT 2)
해석 소민은 롤러코스터를 탈 수 있지만, 그녀는 빠르게 달리지 못한다.

26 해설 can은 할 수 있는 것을 나타낼 때 쓰고, can't는 할 수 없는 것을 나타낼 때 쓴다. (▶ POINT 2)
해석 예진과 서준은 빠르게 달릴 수 있지만, 그들은 수영을 못한다.

27
28 해석

| | 농구하기 | 한국어 말하기 |
|---|---|---|
| Linda | O | X |
| Jane | X | O |

27 해설 '~할 수 있다'라는 능력을 나타낼 때는 can을 쓴다. (▶ POINT 2)
해석 Linda: Jane, 너는 한국어를 말할 수 있니?
Jane: 응, 할 수 있어. 나는 언어에 관심이 있어.

28 해설 '~할 수 있다'라는 능력을 나타낼 때는 can을 쓴다. (▶ POINT 2)
해석 Jane: Linda, 너는 농구를 할 수 있니?
Linda: 응, 할 수 있어.
Jane: 정말? 나는 농구를 못해.
Linda: 내가 가르쳐 줄게.

29
30 해석

| | 노래 잘 부르기 | 스키 타기 | 중국어 알아듣기 |
|---|---|---|---|
| 희진 | X | O | O |
| 효선 | O | O | X |
| 재영 | X | O | X |

29 해설 '~할 수 있다'라는 능력을 나타낼 때는 can을 쓴다. (▶ POINT 2)
해석 희진은 중국어를 알아들을 수 있지만, 그녀는 노래를 잘 못 부른다.

30 해설 can은 할 수 있는 것을 나타낼 때 쓰고, can't는 할 수 없는 것을 나타낼 때 쓴다. (▶ POINT 2)
해석 희진, 효선, 재영은 스키를 탈 수 있지만, 효선과 재영은 중국어를 알아듣지 못한다.

31
32 해석

| | 파스타 요리하기 | 매운 음식 먹기 |
|---|---|---|
| Andy | X | O |
| Chris | O | X |

31 해설 '~할 수 있다'라는 능력을 나타낼 때는 can을 쓴다. (▶ POINT 2)
해석 Chris: Andy, 너는 매운 음식을 먹을 수 있니?
Andy: 응, 할 수 있어. 나는 매운 음식을 좋아해.

32 해설 '~할 수 있다'라는 능력을 나타낼 때는 can을 쓴다. (▶ POINT 2)
해석 Andy: Chris, 너는 파스타를 요리할 수 있니?
Chris: 응, 할 수 있어.
Andy: 와우, 멋지다. 나는 파스타를 요리하지 못해.
Chris: 내가 너에게 요리해 줄게.

33 해설 have to가 쓰인 부정문: don't[doesn't] have to (▶ POINT 3)
해석 그는 Jenny의 비밀을 지켜야 한다.
→ 그는 Jenny의 비밀을 지킬 필요가 없다.

34 해설 must의 과거형은 had to이다. (▶ POINT 3)
해석 우리는 헬멧을 써야 한다.
→ 우리는 헬멧을 써야 했다.

35 해설 have to가 쓰인 부정문: don't[doesn't] have to (▶ POINT 3)
해석 너는 나를 도와줘야 한다.
→ 너는 나를 도와줄 필요가 없다.

36 해설 must의 과거형은 had to이다. (▶ POINT 3)
해석 Kale은 여기서 기다려야 한다.
→ Kale은 여기서 기다려야 했다.

37 해설 '~하면 안 된다'라는 의미가 알맞으므로 shouldn't를 쓴다. (▶ POINT 4)

해석 여러분은 수업 중에 음악을 들으면 안 됩니다.

**38** 해설 '~해야 한다'라는 의미가 알맞으므로 should를 쓴다. (▶ POINT 4)
해석 여러분은 말하기 전에 손을 들어야 합니다.

**39** 해설 '~하면 안 된다'라는 의미가 알맞으므로 shouldn't를 쓴다. (▶ POINT 4)
해석 여러분은 수업 중에 음식을 먹으면 안 됩니다.

**40** 해설 '~해야 한다'라는 의미가 알맞으므로 should를 쓴다. (▶ POINT 4)
해석 여러분은 영어로 말해야 합니다.

**41** 해설 '~하면 안 된다'라는 의미가 알맞으므로 shouldn't를 쓴다. (▶ POINT 4)
해석 여러분은 누구도 수영장에 밀어 넣으면 안 됩니다.

**42** 해설 '~해야 한다'라는 의미가 알맞으므로 should를 쓴다. (▶ POINT 4)
해석 여러분은 들어가기 전에 물의 깊이를 확인해야 합니다.

**43** 해설 '~하면 안 된다'라는 의미가 알맞으므로 shouldn't를 쓴다. (▶ POINT 4)
해석 여러분은 수영장에 유리 제품을 가져오면 안 됩니다.

**44** 해설 '~해야 한다'라는 의미가 알맞으므로 should를 쓴다. (▶ POINT 4)
해석 여러분은 수영장에 들어가기 전에 샤워를 해야 합니다.

**45** 해설 금지를 나타내므로 must not을 쓴다. (▶ POINT 3)
해석 여러분은 여기에 주차하면 안 됩니다.

**46** 해설 의무를 나타내므로 must를 쓴다. (▶ POINT 3)
해석 여러분은 안전벨트를 매야 합니다.

**47** 해설 금지를 나타내므로 must not을 쓴다. (▶ POINT 3)
해석 여러분은 여기에서 사진을 찍으면 안 됩니다.

**48** 해설 의무를 나타내므로 must를 쓴다. (▶ POINT 3)
해석 여러분은 쓰레기를 쓰레기통에 넣어야 합니다.

**49** 해설 충고의 의미를 지닌 조동사는 should이며, '~하면 안 된다'라는 의미이므로 should not[shouldn't]을 쓴다. (▶ POINT 4)

**50** 해설 충고의 의미를 지닌 조동사는 should이며, '~해야 한다'라는 의미이므로 should를 쓴다. (▶ POINT 4)

**51** 해설 충고의 의미를 지닌 조동사는 should이며, '~하면 안 된다'라는 의미이므로 should not[shouldn't]을 쓴다. (▶ POINT 4)

**52** 해설 충고의 의미를 지닌 조동사는 should이며, '~해야 한다'라는 의미이므로 should를 쓴다. (▶ POINT 4)

# CHAPTER 05
# 문장의 형식

## POINT 1　주어 + 동사 + 주격 보어　p. 56

**1** She became a famous singer.
**2** That sounds like a great idea.
**3** The soup smelled delicious.
**4** The weather is getting cold.
**5** They look like twins.
**6** Your dress looks very fancy.
**7** His story sounds strange.
**8** Her hands felt like velvet.
**9** This stew tastes spicy.
**10** A durian smells terrible.

## POINT 2　주어 + 동사 + 간접 목적어 + 직접 목적어　p. 57

**1** Did Dave pass Susan her name tag?
**2** Mom showed us her wedding photos.
**3** My sister is cooking me an omelet.
**4** He made his brother a paper crane.
**5** Can I ask you a question?
**6** We found the boy his bag.
**7** Frank lent her his gloves.
**8** His aunt gave him cookies.
**9** My dad reads me a story every night.
**10** She sent Sera some flowers.
**11** They wrote their parents letters on Parents' Day.

## POINT 3　주어 + 동사 + 직접 목적어 + 전치사 + 간접 목적어　p. 58

**1** The tour guide brought us the food.
그 여행 가이드는 우리에게 음식을 가져다주었다.
　→ The tour guide brought the food to us.
　　그 여행 가이드는 우리에게 음식을 가져다주었다.

**2** Eric made his friend a new kite.
Eric은 그의 친구에게 새로운 연을 만들어 주었다.
　→ Eric made a new kite for his friend.
　　Eric은 그의 친구에게 새로운 연을 만들어 주었다.

**3** The babysitter read the children a fairy tale.
그 보모는 그 아이들에게 동화를 읽어 주었다.
　→ The babysitter read a fairy tale to the children.
　　그 보모는 그 아이들에게 동화를 읽어 주었다.

**4** My sister got her cat water.
나의 여동생은 그녀의 고양이에게 물을 가져다주었다.
　→ My sister got water for her cat.
　　나의 여동생은 그녀의 고양이에게 물을 가져다주었다.

**5** I will teach you the alphabet.　나는 너에게 알파벳을 가르쳐 줄 것이다.
　→ I will teach the alphabet to you.　나는 너에게 알파벳을 가르쳐 줄 것이다.

**6** He asked her name of her.
**7** Rose buys a birthday cake for Vicky every year.
**8** She gave a carnation to her teacher.
**9** Can you pass the salt to me?
**10** My father cooked lunch for us.

1　We left the door open.
2　Stress can turn your hair white.
3　They think Brad a genius.
4　I named the puppy Cherry.
5　The police keep the city safe.
6　She thought the test easy.
7　Teddy's classmates call him an angel.
8　The news made my friends angry.
9　They found the story true.
10　Exercise keeps us healthy.

## 기출문제 풀고 짝문제로 마무리!　p. 60

01　His plan sounds interesting.
02　She gave Joseph a concert ticket.
03　You make me a better person.
04　Those clouds look like cotton candy.
05　Jake became a firefighter.
06　We shouldn't leave the baby alone.
07　The flower smells good.
08　My dad bought my sister a bracelet.
09　They will name the app Wheels.
10　This lollipop tastes like an orange.
11　His cheeks turned red.
12　Kate found the map wrong.
13　Did Brian lend some money to Emily?
14　The classroom became quiet.
15　The mask looks scary.
16　We left the seat empty.
17　Can you bring a towel to me?
18　Your grades are getting better.
19　Her voice sounds lovely.
20　Too much sunlight turns the fruit bitter.
21　The perfume smells sweet.
22　He gave Wendy a present.
23　I felt like a bird.
24　I feel cold now.
25　She read Paul a book.
26　The mushrooms tasted like meat.
27　The waiter got us napkins.
28　Linda keeps her room clean.
29　He found a shoe for the girl.
30　I sent them many pictures.
31　Gochujang makes dishes spicy.
32　She asked some questions of the teacher.
33　The athlete will teach children taekwondo.
34　Jessica showed her legs to the doctor.
35　My mom cooked my friends Chinese food.
36　I will tell the truth to you.
37　My raincoat still feels wet. I have to dry it.
38　The students thought the advice useful.
39　A: Let's go to the movies.
　　B: That sounds like a great idea!

40　I'm swimming in the sea. Seawater tastes salty.
41　Gloves will keep your hands warm.
42　A: Look at that girl! She is wearing a pink dress.
　　B: She looks like a princess.
43　Ryan wrote a letter to his grandmother.
44　Can you pass me the butter?
45　Your skin feels like silk.
46　She bought a meal for the child.
47　The man made them coffee.
48　This shampoo smells like strawberries.

01　[해설] 「주어 + 감각동사 + 형용사」 (▶ POINT 1)
02　[해설] 「주어 + 동사 + 간접 목적어 + 직접 목적어」 (▶ POINT 2)
03　[해설] 「주어 + 동사 + 목적어 + 목적격 보어(명사)」 (▶ POINT 4)
04　[해설] 「주어 + 감각동사 + like + 명사」 (▶ POINT 1)
05　[해설] 「주어 + 동사 + 주격 보어(명사)」 (▶ POINT 1)
06　[해설] 「주어 + 동사 + 목적어 + 목적격 보어(형용사)」 (▶ POINT 4)
07　[해설] 「주어 + 감각동사 + 형용사」 (▶ POINT 1)
08　[해설] 「주어 + 동사 + 간접 목적어 + 직접 목적어」 (▶ POINT 2)
09　[해설] 「주어 + 동사 + 목적어 + 목적격 보어(명사)」 (▶ POINT 4)
10　[해설] 「주어 + 감각동사 + like + 명사」 (▶ POINT 1)
11　[해설] 「주어 + 동사 + 주격 보어(형용사)」 (▶ POINT 1)
12　[해설] 「주어 + 동사 + 목적어 + 목적격 보어(형용사)」 (▶ POINT 4)
13　[해설] '~에게 …을'이라는 두 개의 목적어가 필요하며 7단어이므로 「lend + 직접 목적어 + to + 간접 목적어」 문장을 쓴다. (▶ POINT 3)
14　[해설] 「주어 + become + 주격 보어(형용사)」 (▶ POINT 1)
15　[해설] 「주어 + look(~하게 보이다) + 형용사」 (▶ POINT 1)
16　[해설] 「주어 + leave + 목적어 + 형용사」 (▶ POINT 4)
17　[해설] '~에게 …을'이라는 두 개의 목적어가 필요하며 7단어이므로 「bring + 직접 목적어 + to + 간접 목적어」 문장을 쓴다. (▶ POINT 3)
18　[해설] 「주어 + get + 주격 보어(형용사)」 (▶ POINT 1)
19　[해설] 「주어 + sound(~하게 들리다) + 형용사」 (▶ POINT 1)
20　[해설] 「주어 + turn + 목적어 + 형용사」 (▶ POINT 4)
21　[해설] 달콤한 냄새가 나는 모습이므로 smells sweet를 쓴다. (▶ POINT 1)
　　[해석] 그 향수는 달콤한 냄새가 난다.
22　[해설] 선물을 주는 모습이며 5단어이므로 gave Wendy a present(동사 + 간접 목적어 + 직접 목적어)를 쓴다. (▶ POINT 2)
　　[해석] 그는 Wendy에게 선물을 주었다.
23　[해설] 새처럼 느낀다는 모습이므로 felt like a bird(감각동사 + like + 명사)를 쓴다. (▶ POINT 1)
　　[해석] 나는 새가 된 기분이었다.
24　[해설] 춥게 느끼는 모습이므로 feel cold를 쓴다. (▶ POINT 1)
　　[해석] 나는 지금 춥게 느낀다.
25　[해설] 책을 읽어 주는 모습이며 5단어이므로 read Paul a book(동사 + 간접 목적어 + 직접 목적어)을 쓴다. (▶ POINT 2)
　　[해석] 그녀는 Paul에게 책을 읽어 주었다.
26　[해설] 고기 같은 맛을 느끼는 모습이므로 tasted like meat(감각동사 + like + 명사)를 쓴다. (▶ POINT 1)
　　[해석] 그 버섯들은 고기 같은 맛이 났다.
27　[해설] 「주어 + 동사 + 간접 목적어 + 직접 목적어」 순이 알맞으므로 napkins us를 us napkins로 고쳐야 한다. (▶ POINT 2)

28 해설 동사 keep의 목적격 보어 자리에는 형용사를 쓰므로 cleanly를 clean으로 고쳐야 한다. (▶ POINT 4)

29 해설 동사 find는 전치사 for를 쓴다. (▶ POINT 3)

30 해설 「주어 + 동사 + 간접 목적어 + 직접 목적어」 순이 알맞으므로 many pictures them을 them many pictures로 고쳐야 한다. (▶ POINT 2)

31 해설 '~을 …하게 만들다'라는 의미일 때 동사 make의 목적격 보어 자리에는 형용사를 쓰므로 spicily를 spicy로 고쳐야 한다. (▶ POINT 4)

32 해설 동사 ask는 전치사 of를 쓴다. (▶ POINT 3)

33 해설 「주어 + teach + 직접 목적어 + to + 간접 목적어」 문장은 「주어 + teach + 간접 목적어 + 직접 목적어」 문장으로 바꿔 쓸 수 있다. (▶ POINT 2, 3)
해석 그 운동선수는 아이들에게 태권도를 가르칠 것이다.
→ 그 운동선수는 아이들에게 태권도를 가르칠 것이다.

34 해설 「주어 + show + 간접 목적어 + 직접 목적어」 문장은 「주어 + show + 직접 목적어 + to + 간접 목적어」 문장으로 바꿔 쓸 수 있다. (▶ POINT 2, 3)
해석 Jessica는 그 의사에게 그녀의 다리를 보여 주었다.
→ Jessica는 그 의사에게 그녀의 다리를 보여 주었다.

35 해설 「주어 + cook + 직접 목적어 + for + 간접 목적어」 문장은 「주어 + cook + 간접 목적어 + 직접 목적어」 문장으로 바꿔 쓸 수 있다. (▶ POINT 2, 3)
해석 나의 엄마는 나의 친구들에게 중국 음식을 요리해 주셨다.
→ 나의 엄마는 나의 친구들에게 중국 음식을 요리해 주셨다.

36 해설 「주어 + tell + 간접 목적어 + 직접 목적어」 문장은 「주어 + tell + 직접 목적어 + to + 간접 목적어」 문장으로 바꿔 쓸 수 있다. (▶ POINT 2, 3)
해석 나는 너에게 진실을 말할 것이다.
→ 나는 너에게 진실을 말할 것이다.

37 해설 「feel + 형용사(~하게 느끼다)」 (▶ POINT 1)
해석 나의 비옷은 아직 축축하게 느껴진다. 나는 그것을 말려야 한다.

38 해설 「think + 목적어 + 형용사(~을 …이라고 생각하다)」 (▶ POINT 4)
해석 그 학생들은 그 조언을 유용하다고 생각했다.

39 해설 「sound like + 명사(~처럼 들리다)」 (▶ POINT 1)
해석 A: 영화 보러 가자.
B: 그거 좋은 생각처럼 들린다!

40 해설 「taste + 형용사(~한 맛이 나다)」 (▶ POINT 1)
해석 나는 바다에서 수영하고 있다. 바닷물은 짠맛이 난다.

41 해설 「keep + 목적어 + 형용사(~을 …하게 유지하다)」 (▶ POINT 4)
해석 장갑은 너의 손을 따뜻하게 유지해 줄 것이다.

42 해설 「look like + 명사(~처럼 보이다)」 (▶ POINT 1)
해석 A: 저 소녀를 봐! 그녀는 분홍색 드레스를 입고 있어.
B: 그녀는 공주처럼 보여.

43 해설 '~에게 …을 써 주다'라는 의미이며 간접 목적어가 문장 맨 뒤에 왔으므로 「write + 직접 목적어 + to + 간접 목적어」 문장을 쓴다. (▶ POINT 3)

44 해설 '~에게 …을 건네주다'라는 의미이므로 빈칸 수에 맞춰 「pass + 간접 목적어 + 직접 목적어」 문장을 쓴다. (▶ POINT 2)

45 해설 '~처럼 느끼다'라는 의미이므로 feels like를 쓴다. (▶ POINT 1)

46 해설 '~에게 …을 사 주다'라는 의미이며 간접 목적어가 문장 맨 뒤에 왔으므로 「buy + 직접 목적어 + for + 간접 목적어」 문장을 쓴다. (▶ POINT 3)

47 해설 '~에게 …을 만들어 주다'라는 의미이므로 빈칸 수에 맞춰 「make + 간접 목적어 + 직접 목적어」 문장을 쓴다. (▶ POINT 2)

48 해설 '~ 같은 냄새가 나다'라는 의미이므로 smells like를 쓴다. (▶ POINT 1)

# CHAPTER 06

# 문장의 종류 1

## POINT 1  who 의문문                                        p. 66

1  Who(m) did you meet at the playground?

2  Who knows the answer?

3  Who(m) is he waiting for?

4  Who is your best friend?

5  Who ate my ice cream?

6  A: Who is the man over there?
B: He is my uncle.  그는 나의 삼촌이셔.

7  A: Who(m) should I contact about it?
B: You should contact the customer service center.
너는 고객서비스센터에 연락해야 해.

8  A: Who is taking the class?
B: Mark and Lisa are taking the class.
Mark와 Lisa가 그 수업을 듣고 있어.

9  A: Who(m) did she send the letter to?
B: She sent the letter to her cousin.
그녀는 그녀의 사촌에게 그 편지를 보냈어.

## POINT 2  what/which 의문문                                p. 67

1  What is your favorite color?

2  What subject do you like?

3  What does this word mean?

4  What should I bring?

5  A: What did he say?
B: He said the test was difficult.  그는 그 시험이 어려웠다고 말했어.

6  A: What is her name?
B: Her name is Mary.  그녀의 이름은 Mary야.

7  A: Which beverage do you prefer, coffee or tea?
B: I prefer coffee.  나는 커피를 더 좋아해.

8  A: What kind of food can Amy cook?
B: She can cook Italian food.  그녀는 이탈리아 음식을 요리할 수 있어.

## POINT 3  how 의문문                                        p. 68

1  How far is the airport from here?

2  How did Susan get the ticket?

3  How was your vacation?

4  How should I study English grammar?

5  A: How often does he take a walk?  그는 얼마나 자주 산책하니?
B: He takes a walk once a week.  그는 일주일에 한 번 산책해.

6  A: How old is your cat?  너의 고양이는 몇 살이니?
B: It is a year old.  한 살이야.

7  A: How many brothers do you have?  너는 얼마나 많은 형제들이 있니?
B: I have one brother.  나는 남동생 한 명 있어.

8  A: How are you feeling now?  너는 지금 몸이 어떠니?
B: I am not feeling well.  나는 몸이 좋지 않아.

9  A: How long will Jack stay there?  Jack은 얼마나 오래 거기에 머물 거니?
B: He will stay for three days.  그는 3일 동안 머물 거야.

10  A: How tall is the tree?  그 나무는 얼마나 높니?
B: It is six meters high.  그것은 높이가 6미터야.

1 Where were the puppies?

2 Why are those kids running?

3 Where will you go tomorrow?

4 When does the shop open?

5 Why did he change his mind?

6 A: Why was she angry yesterday? 그녀는 어제 왜 화가 났니?
   B: Because she lost her wallet. 그녀는 그녀의 지갑을 잃어버렸기 때문이야.

7 A: When does the first bus leave? 첫 버스는 언제 떠나니?
   B: It leaves at 6 A.M. 그것은 오전 6시에 떠나.

8 A: Where do your grandparents live? 너의 조부모님은 어디에 사시니?
   B: They live in Canada. 그들은 캐나다에 사셔.

9 A: When can I pick up my photos? 내가 언제 나의 사진들을 찾을 수 있니?
   B: Next Monday. 다음 주 월요일.

10 A: Where did he put his jacket? 그는 어디에 그의 재킷을 두었니?
   B: He put his jacket in the closet. 그는 옷장에 그의 재킷을 넣었어.

11 A: Why are you standing outside? 너는 왜 밖에 서 있니?
   B: Because I am getting some fresh air.
      나는 신선한 공기를 좀 마시고 있기 때문이야.

---

**기출문제** 풀고 **짝문제** 로 마무리!      p. 70

01 Who opened the window?

02 How old is that house?

03 When should we check in?

04 What color are you looking for?

05 Why do the seasons change?

06 Who showed you the pictures?

07 How long is her hair?

08 Where can I find a restroom?

09 What game is he playing?

10 Why does Jenny hate cucumbers?

11 How can I buy a train ticket?

12 When did the baby fall asleep?

13 Who is the best hockey player?

14 Which fruit do you want, strawberries or mangos?

15 Why was Wilson absent yesterday?

16 Where do they catch the school bus?

17 How can I join the club?

18 When did Nina arrive in Busan?

19 Who is the new class president?

20 Which animal do you like better, dogs or cats?

21 Why were your parents in New York last week?

22 Where does she keep her bike?

23 What time is it now?

24 Where did Ron lose his bag?

25 How big are elephants?

26 Which dish did you prefer, the steak or the grilled fish?

27 How does this machine work?

28 Who is coming here now?

29 What sports can he play?

30 When do you walk your dog?

31 How often does your sister exercise?

32 Which hat will you choose, this one or that one?

33 How did she learn French?

34 Who was sick yesterday?

35 A: How many gifts did he get?
   B: He got seven.

36 A: What is her hobby?
   B: Her hobby is listening to music.

37 A: When[What date] does the TV show end?
   B: It ends on June 8.

38 A: Where is the subway station?
   B: It is near the library.

39 A: Who teaches the English class?
   B: Mr. Davis does.

40 A: Why did you miss the bus?
   B: Because I woke up late.

41 A: How was the cartoon?
   B: It was funny.

42 A: How much money did you spend?
   B: I spent 30,000 won.

43 A: What is your favorite movie genre?
   B: My favorite movie genre is horror.

44 A: When[What day] do they go to the academy?
   B: They go there on Thursdays.

45 A: Where is my camera?
   B: It is on the sofa.

46 A: Who cleans the science room?
   B: Hyunjung and I do.

47 A: Why did she cry last night?
   B: Because she failed the exam.

48 A: How was your weekend?
   B: It was fine.

49 • What are you reading?
   • What will you do tomorrow?
   • What kind of flower is this?

50 • Who was next to you?
   • Who do you live with?
   • Who is your role model?

51 • What flavor did you choose?
   • What is she like?
   • What can I do for you?

52 • Who did you invite?
   • Who are those girls at the door?
   • Who was on the phone?

53 A: When is Jacob's birthday?
   B: His birthday is December 22.

54 A: Where is Jacob from?
   B: He is from Chicago.

55 A: How tall is Jacob?
   B: He is 164 centimeters tall.

56 A: When does the festival start?
   B: It starts at 9 A.M.

57 A: Where is the festival held?
   B: It's held at Paju Leisure Town.

58 A: How much is the entrance fee?
   B: It's 20,000 won.

---

01 해설 who가 주어인 경우: 「Who + 동사 ~?」 (▶ POINT 1)

02 해설 '얼마나 ~하니'라는 의미로 나이 등을 물을 때: 「How + 형용사/부사 ~?」
   (▶ POINT 3)

03 해설 조동사가 있는 의문사 의문문: 「의문사 + 조동사 + 주어 + 동사원형 ~?」
   (▶ POINT 4)

04 해설 what이 형용사로 쓰인 경우: 「What + 명사 ~?」 (▶ POINT 2)

**05** 해설 일반동사가 있는 의문사 의문문: 「의문사 + do/does/did + 주어 + 동사원형 ~?」 (▶ POINT 4)

**06** 해설 who가 주어인 경우: 「Who + 동사 ~?」 (▶ POINT 1)

**07** 해설 '얼마나 ~하니'라는 의미로 길이 등을 물을 때: 「How + 형용사/부사 ~?」 (▶ POINT 3)

**08** 해설 조동사가 있는 의문사 의문문: 「의문사 + 조동사 + 주어 + 동사원형 ~?」 (▶ POINT 4)

**09** 해설 what이 형용사로 쓰인 경우: 「What + 명사 ~?」 (▶ POINT 2)

**10** 해설 일반동사가 있는 의문사 의문문: 「의문사 + do/does/did + 주어 + 동사원형 ~?」 (▶ POINT 4)

**11** 해설 '어떻게'라는 방법을 물을 때는 how를 쓴다. (▶ POINT 3)

**12** 해설 '언제'인지 물을 때는 when을 쓴다. (▶ POINT 4)

**13** 해설 '누구'인지 물을 때는 who를 쓴다. (▶ POINT 1)

**14** 해설 정해진 범위 내에서의 선택을 물을 때는 which를 쓴다. (▶ POINT 2)

**15** 해설 '왜'인지 물을 때는 why를 쓴다. (▶ POINT 4)

**16** 해설 '어디'인지 물을 때는 where를 쓴다. (▶ POINT 4)

**17** 해설 '어떻게'라는 방법을 물을 때는 how를 쓴다. (▶ POINT 3)

**18** 해설 '언제'인지 물을 때는 when을 쓴다. (▶ POINT 4)

**19** 해설 '누구'인지 물을 때는 who를 쓴다. (▶ POINT 1)

**20** 해설 정해진 범위 내에서의 선택을 물을 때는 which를 쓴다. (▶ POINT 2)

**21** 해설 '왜'인지 물을 때는 why를 쓴다. (▶ POINT 4)

**22** 해설 '어디'인지 물을 때는 where를 쓴다. (▶ POINT 4)

**23** 해설 what이 형용사로 쓰일 때의 어순은 「What + 명사 ~?」이므로 is time을 time is로 고쳐야 한다. (▶ POINT 2)

**24** 해설 일반동사가 있는 의문사 의문문은 「의문사 + do/does/did + 주어 + 동사원형 ~?」 형태이므로 was를 did로 고쳐야 한다. (▶ POINT 4)

**25** 해설 '얼마나 크니?'는 how big으로 나타낸다. (▶ POINT 3)

**26** 해설 정해진 범위 내에서의 선택을 물을 때는 what이 아닌 which를 쓴다. (▶ POINT 2)

**27** 해설 일반동사가 있는 의문사 의문문은 「의문사 + do/does/did + 주어 + 동사원형 ~?」 형태이므로 주어 this machine 앞에 does를 붙이고 works를 work로 고쳐야 한다. (▶ POINT 3)

**28** 해설 who가 주어일 때는 3인칭 단수 취급하므로 are를 is로 고쳐야 한다. (▶ POINT 1)

**29** 해설 what이 형용사로 쓰일 때의 어순은 「What + 명사 ~?」이므로 can sports를 sports can으로 고쳐야 한다. (▶ POINT 2)

**30** 해설 일반동사가 있는 의문사 의문문은 「의문사 + do/does/did + 주어 + 동사원형 ~?」 형태이므로 are를 do로 고쳐야 한다. (▶ POINT 4)

**31** 해설 '얼마나 자주'는 how often으로 나타낸다. (▶ POINT 3)

**32** 해설 정해진 범위 내에서의 선택을 물을 때는 what이 아닌 which를 쓴다. (▶ POINT 2)

**33** 해설 일반동사가 있는 의문사 의문문은 「의문사 + do/does/did + 주어 + 동사원형 ~?」 형태이므로 주어 she 앞에 did를 붙이고 learned를 learn으로 고쳐야 한다. (▶ POINT 3)

**34** 해설 who가 주어일 때는 3인칭 단수 취급하므로 were를 was로 고쳐야 한다. (▶ POINT 1)

**35** 해설 답변에서 개수를 말하고 있으므로 「How many + 복수명사 ~?」 형태로 쓴다. (▶ POINT 3)
해석 A: 그는 얼마나 많은 선물을 받았니?
B: 그는 일곱 개를 받았어.

**36** 해설 답변에서 취미가 무엇인지 말하고 있으므로 what 의문문을 쓴다. (▶ POINT 2)
해석 A: 그녀의 취미는 무엇이니?
B: 그녀의 취미는 음악 듣기야.

**37** 해설 답변에서 날짜를 말하고 있으므로 when 의문문을 쓴다. (What date도 가능) (▶ POINT 4)
해석 A: 그 TV 프로그램은 언제 끝나니?
B: 그것은 6월 8일에 끝나.

**38** 해설 답변에서 장소를 말하고 있으므로 where 의문문을 쓴다. (▶ POINT 4)
해석 A: 지하철역은 어디에 있니?
B: 그것은 도서관 근처에 있어.

**39** 해설 답변에서 사람을 말하고 있으므로 who 의문문을 쓰며, who가 주어이므로 동사는 3인칭 단수형인 teaches로 쓴다. (▶ POINT 1)
해석 A: 누가 영어 수업을 가르치시니?
B: Davis 선생님이 가르치셔.

**40** 해설 답변에서 이유를 말하고 있으므로 why 의문문을 쓴다. (▶ POINT 4)
해석 A: 너는 왜 버스를 놓쳤니?
B: 내가 늦게 일어났기 때문이야.

**41** 해설 답변에서 만화가 어땠는지를 말하고 있으므로 how 의문문을 쓴다. (▶ POINT 3)
해석 A: 그 만화는 어땠니?
B: 재미있었어.

**42** 해설 답변에서 가격을 말하고 있으므로 「How much + 셀 수 없는 명사 ~?」 형태로 쓴다. (▶ POINT 3)
해석 A: 너는 얼마나 많은 돈을 썼니?
B: 나는 3만 원을 썼어.

**43** 해설 답변에서 영화 장르가 무엇인지 말하고 있으므로 what 의문문을 쓴다. (▶ POINT 2)
해석 A: 네가 가장 좋아하는 영화 장르는 무엇이니?
B: 내가 가장 좋아하는 영화 장르는 공포물이야.

**44** 해설 답변에서 요일을 말하고 있으므로 when 의문문을 쓴다. (What day도 가능) (▶ POINT 4)
해석 A: 그들은 언제 학원에 가니?
B: 그들은 목요일에 그곳에 가.

**45** 해설 답변에서 위치를 말하고 있으므로 where 의문문을 쓴다. (▶ POINT 4)
해석 A: 나의 카메라는 어디에 있니?
B: 그것은 소파 위에 있어.

**46** 해설 답변에서 사람을 말하고 있으므로 who 의문문을 쓰며, who가 주어이므로 동사는 3인칭 단수형인 cleans로 쓴다. (▶ POINT 1)
해석 A: 누가 과학실을 청소하니?
B: 현정이와 내가 청소해.

**47** 해설 답변에서 이유를 말하고 있으므로 why 의문문을 쓴다. (▶ POINT 4)
해석 A: 그녀는 어젯밤에 왜 울었니?
B: 그녀가 시험에 떨어졌기 때문이야.

**48** 해설 답변에서 주말에 어땠는지를 말하고 있으므로 how 의문문을 쓴다. (▶ POINT 3)
해석 A: 너의 주말은 어땠니?
B: 좋았어.

**49** 해설 '무엇'을 물을 때는 what을 쓴다. (▶ POINT 2)
해석 • 너는 무엇을 읽고 있니?
• 너는 내일 무엇을 할 거니?
• 이것은 어떤 종류의 꽃이니?

**50** 해설 '누구'인지 물을 때는 who를 쓴다. (▶ POINT 1)
해석 • 너 옆에 누구였니?
• 너는 누구와 함께 사니?
• 너의 롤 모델은 누구니?

**51** 해설 '무엇'이나 '사람의 성격'을 물을 때는 what을 쓴다. (▶ POINT 2)
해석 • 너는 무슨 맛을 골랐니?
• 그녀는 어떤 사람이니?
• 내가 너를 위해 무엇을 할 수 있니?

**52** 해설 '누구'인지 물을 때는 who를 쓴다. (▶ POINT 1)
해석 • 너는 누구를 초대했니?
• 문에 있는 저 소녀들은 누구니?

- 누가 전화했었니?

**53**
**55** [해석]

이름: Jacob Smith
생일: 12월 22일
고향: 시카고
키: 164센티미터

**53** [해설] '언제'인지 물을 때는 when을 쓴다. (▶ POINT 4)
[해석] A: Jacob의 생일은 언제니?
B: 그의 생일은 12월 22일이야.

**54** [해설] '어디'인지 물을 때는 where를 쓴다. (▶ POINT 4)
[해석] A: Jacob은 어디에서 왔니?
B: 그는 시카고에서 왔어.

**55** [해설] 키를 물을 때는 how tall을 쓴다. (▶ POINT 3)
[해석] A: Jacob은 얼마나 크니?
B: 그는 키가 164센티미터야.

**56**
**58** [해석]

얼음낚시 축제
날짜: 1월 19일
시간: 오전 9시 – 오후 5시
장소: 파주레저타운
입장료: 2만 원

**56** [해설] '언제'인지 물을 때는 when을 쓴다. (▶ POINT 4)
[해석] A: 그 축제는 언제 시작하니?
B: 오전 9시에 시작해.

**57** [해설] '어디'인지 물을 때는 where를 쓴다. (▶ POINT 4)
[해석] A: 그 축제는 어디에서 열리니?
B: 파주레저타운에서 열려.

**58** [해설] 가격을 물을 때는 how much를 쓴다. (▶ POINT 3)
[해석] A: 입장료는 얼마니?
B: 2만 원이야.

# CHAPTER 07

# 문장의 종류 2

## POINT 1 명령문 p. 76

1 You should not use the elevator. 너는 그 엘리베이터를 이용하면 안 된다.
→ Don't[Do not] use the elevator. 그 엘리베이터를 이용하지 마라.

2 You should be quiet. 너는 조용히 해야 한다.
→ Be quiet. 조용히 해라.

3 You should not sit on the grass. 너는 잔디밭에 앉으면 안 된다.
→ Don't[Do not] sit on the grass. 잔디밭에 앉지 마라.

4 You should not watch TV now. 너는 지금 TV를 보면 안 된다.
→ Don't[Do not] watch TV now. 지금 TV를 보지 마라.

5 You should close the window. 너는 창문을 닫아야 한다.
→ Close the window. 창문을 닫아라.

6 You should dress warmly. 너는 따뜻하게 입어야 한다.
→ Dress warmly. 따뜻하게 입어라.

7 Don't[Do not] be late again.

8 Tell him the problem, and he can help you.

9 Lock the door.

10 Don't[Do not] tell a lie.

11 Turn on the heater, or you will catch a cold.

12 Don't[Do not] run here.

13 Take this umbrella.

## POINT 2 제안문 p. 77

1 Why don't you buy new earphones?

2 Let's have lunch together.

3 How about feeding the horses?

4 Why don't we ask Jane about it?

5 What about walking to school?

6 What about bringing some snacks to Bob?

7 Let's use this ladder.

8 How about trying on these shoes?

9 Why don't we order sandwiches?

10 Let's look at the map.

11 Why don't you visit the art museum?

## POINT 3 부가의문문 p. 78

1 The story was amazing, wasn't it?
그 이야기는 정말 놀라웠어, 그렇지 않니?

2 You don't wake up at 7 A.M. every day, do you?
너는 매일 오전 7시에 일어나지 않아, 그렇지?

3 Mr. Smith bought you a computer, didn't he?
Smith 씨가 너에게 컴퓨터를 사 줬어, 그렇지 않니?

4 Tina and Tony can't eat spicy food, can they?
Tina와 Tony는 매운 음식을 못 먹어, 그렇지?

5 My grandma isn't in the living room, is she?
나의 할머니는 거실에 안 계셔, 그렇지?

6 I can put my bag here, can't I?
나는 여기에 나의 가방을 둘 수 있어, 그렇지 않니?

7 He is 13 years old, isn't he? 그는 13살이야, 그렇지 않니?

8 You and Brad are not[aren't] brothers, are you?

9   I should come home before dinner, <u>shouldn't</u> I?

10  The man did not[didn't] believe us, did he?

11  She has a fever, doesn't she?

12  The boxes were not[weren't] heavy, were they?

13  It will be cloudy tomorrow, won't it?

14  Your sisters know me, don't they?

## POINT 4  감탄문                                 p. 79

1  What a thick wall!

2  How loudly Dorothy talks!

3  What an expensive dress this is!

4  How lucky they were!

5  What clear pictures these are!

6  How clever the monkeys are!

7  What beautiful eyes you have!

8  What an interesting idea that is!

9  How slowly the traffic moves!

10  What delicious tea it is!

11  How soft the pillow is!

## 기출문제 풀고 짝문제로 마무리!                 p. 80

01  Why don't we play soccer?

02  What a wonderful day!

03  How about finding a roommate?

04  How nice the weather is!

05  Don't cut the cake.

06  Why don't we clean the living room?

07  What a cute puppy!

08  How about watching a horror movie?

09  How colorful your sweater is!

10  Don't pour hot water into the icebox.

11  She does not[doesn't] read a book every night, <u>does she</u>?

12  What difficult quizzes they were!

13  Why don't you sell your old clothes?

14  How quietly Annie <u>speaks</u>!

15  Don't[Do not] ride a bicycle here.

16  You were a baseball player before, <u>weren't you</u>?

17  They do not[don't] like cheeseburgers, do they?

18  What brave kids they are!

19  Why don't you take some medicine?

20  How fast cheetahs <u>run</u>!

21  Don't[Do not] open the window now.

22  He was really friendly, wasn't he?

23  Let's invite them to the party.

24  The boy is from Germany, <u>isn't</u> he?

25  What <u>a</u> beautiful <u>smile</u>!

26  The concert started at 5 P.M., <u>didn't it</u>?

27  <u>Exercise</u> regularly, <u>and</u> you will become healthy.

28  How <u>tall</u> Andrew is!

29  You and I shouldn't tell anyone the secret, <u>should we</u>?

30  <u>Let's</u> go out for lunch.

31  These gloves are cheap, <u>aren't they</u>?

32  What <u>a</u> big <u>family</u>!

33  Your brother made new friends, <u>didn't</u> he?

34  <u>Put</u> the ice cream in the freezer, <u>or</u> it will melt.

35  <u>How</u> <u>short</u> his hair is!

36  Ms. White can't drive, <u>can she</u>?

37  A: George, can you fix my computer?
    B: Let's see. I'm sorry, but I can't. What <u>about</u> <u>taking</u> it to a repair shop?
    A: OK! I will.

38  A: Tap water comes from the sea, <u>doesn't it</u>?
    B: No. It comes from lakes and rivers.

39  A: Are you busy this afternoon?
    B: I don't have any plans at the moment.
    A: How <u>about</u> <u>shopping</u> downtown?
    B: Sure! That sounds perfect.

40  A: You and Justin skip breakfast, <u>don't</u> <u>you</u>?
    B: No. We always eat breakfast.

41  <u>Wear a helmet.</u>

42  <u>Don't[Do not] make noise</u> in the library.

43  <u>Park your bikes</u> here.

44  <u>Don't[Do not] pick the flowers.</u>

45  <u>Don't[Do not] fall asleep</u> during class.

46  <u>How boring</u> (the movie was)!

47  <u>Check train schedules</u> on the website.

48  <u>What a great palace</u> (it is)!

49  <u>Don't[Do not] lean</u> on the subway door.

50  <u>Hold the handrail</u> on the escalator.

51  <u>Don't[Do not] touch the outlet</u> with wet hands.

52  <u>Close the gas valve</u> after cooking.

01 [해설] 제안문: 「Why don't we + 동사원형 ~?」 (▶ POINT 2)

02 [해설] What 감탄문: 「What + a/an + 형용사 + 명사!」 (▶ POINT 4)

03 [해설] 제안문: 「How about V-ing ~?」 (▶ POINT 2)

04 [해설] How 감탄문: 「How + 형용사 + 주어 + 동사!」 (▶ POINT 4)

05 [해설] 부정 명령문은 「Don't + 동사원형」 형태로 시작한다. (▶ POINT 1)

06 [해설] 제안문: 「Why don't we + 동사원형 ~?」 (▶ POINT 2)

07 [해설] What 감탄문: 「What + a/an + 형용사 + 명사!」 (▶ POINT 4)

08 [해설] 제안문: 「How about V-ing ~?」 (▶ POINT 2)

09 [해설] How 감탄문: 「How + 형용사 + 주어 + 동사!」 (▶ POINT 4)

10 [해설] 부정 명령문은 「Don't + 동사원형」 형태로 시작한다. (▶ POINT 1)

11 [해설] 앞 문장이 일반동사 현재형의 부정문이므로 긍정의 부가의문문인 does she를 덧붙인다. (▶ POINT 3)

12 [해설] '~이었구나!'라는 의미이고 명사(quizzes)가 있으므로 What 감탄문을 쓴다. (▶ POINT 4)

13 [해설] '~하는 게 어때?'라는 의미이고 why가 있으므로 「Why don't you + 동사원형 ~?」 형태의 제안문을 쓴다. (▶ POINT 2)

14 [해설] '~이구나!'라는 의미이고 부사(quietly)가 있으므로 How 감탄문을 쓴다. (▶ POINT 4)

15 [해설] '~하지 마라'라는 의미이므로 부정 명령문을 쓴다. (▶ POINT 1)

16 [해설] 앞 문장이 be동사 과거형의 긍정문이므로 부정의 부가의문문인 weren't you를 덧붙인다. (▶ POINT 3)

17 [해설] 앞 문장이 일반동사 현재형의 부정문이므로 긍정의 부가의문문인 do they를 덧붙인다. (▶ POINT 3)

18 [해설] '~이구나!'라는 의미이고 명사(kids)가 있으므로 What 감탄문을 쓴다. (▶ POINT 4)

**19** 해설 '~하는 게 어때?'라는 의미이고 why가 있으므로 「Why don't you + 동사원형 ~?」 형태의 제안문을 쓴다. (▶ POINT 2)

**20** 해설 '~이구나!'라는 의미이고 부사(fast)가 있으므로 How 감탄문을 쓴다. (▶ POINT 4)

**21** 해설 '~하지 마라'라는 의미이므로 부정 명령문을 쓴다. (▶ POINT 1)

**22** 해설 앞 문장이 be동사 과거형의 긍정문이므로 부정의 부가의문문인 wasn't he를 덧붙인다. (▶ POINT 3)

**23** 해설 '~하자'라는 의미이므로 Let's를 쓴다. (▶ POINT 2)

**24** 해설 앞 문장이 be동사 현재형의 긍정문이고 주어가 3인칭 단수 남성이므로 isn't he를 쓴다. (▶ POINT 3)

**25** 해설 What 감탄문: 「What + a/an + 형용사 + 명사!」 (▶ POINT 4)

**26** 해설 앞 문장이 일반동사 과거형의 긍정문이고 주어가 3인칭 단수 사물이므로 didn't it을 쓴다. (▶ POINT 3)

**27** 해설 '~해라, 그러면'이라는 의미이므로 「명령문, + and」 형태로 쓴다. (▶ POINT 1)

**28** 해설 How 감탄문: 「How + 형용사 + 주어 + 동사!」 (▶ POINT 4)

**29** 해설 앞 문장이 조동사의 부정문이고 주어가 You and I이므로 should we를 쓴다. (▶ POINT 3)

**30** 해설 '~하자'라는 의미이므로 Let's를 쓴다. (▶ POINT 2)

**31** 해설 앞 문장이 be동사 현재형의 긍정문이고 주어가 3인칭 복수 사물이므로 aren't they를 쓴다. (▶ POINT 3)

**32** 해설 What 감탄문: 「What + a/an + 형용사 + 명사!」 (▶ POINT 4)

**33** 해설 앞 문장이 일반동사 과거형의 긍정문이고 주어가 3인칭 단수 남성이므로 didn't he를 쓴다. (▶ POINT 3)

**34** 해설 '~해라, 그렇지 않으면'이라는 의미이므로 「명령문, + or」 형태로 쓴다. (▶ POINT 1)

**35** 해설 How 감탄문: 「How + 형용사 + 주어 + 동사!」 (▶ POINT 4)

**36** 해설 앞 문장이 조동사의 부정문이고 주어가 3인칭 단수 여성이므로 can she를 쓴다. (▶ POINT 3)

**37** 해설 제안하는 맥락이며 What이 있으므로 「What about V-ing ~?」 형태의 제안문을 쓴다. (▶ POINT 2)
해석 A: George, 나의 컴퓨터 좀 고쳐 주겠니?
B: 어디 한번 보자. 미안하지만, 나는 못하겠어. 그것을 수리점에 가져가는 게 어때?
A: 알겠어! 그럴게.

**38** 해설 사실 확인차 물어보는 것이므로 부가의문문을 쓴다. 앞 문장이 일반동사 현재형의 긍정문이고 주어가 3인칭 단수 사물이므로 doesn't it을 쓴다. (▶ POINT 3)
해석 A: 수돗물은 바다에서 나와, 그렇지 않니?
B: 아니. 그것은 호수와 강에서 나와.

**39** 해설 제안하는 맥락이며 How가 있으므로 「How about V-ing ~?」 형태의 제안문을 쓴다. (▶ POINT 2)
해석 A: 너 오늘 오후에 바쁘니?
B: 지금은 아무 계획이 없어.
A: 시내에서 쇼핑하는 게 어때?
B: 그래! 그거 좋겠다.

**40** 해설 사실 확인차 물어보는 것이므로 부가의문문을 쓴다. 앞 문장이 일반동사 현재형의 긍정문이고 주어가 You and Justin이므로 don't you를 쓴다. (▶ POINT 3)
해석 A: 너와 Justin은 아침을 걸러, 그렇지 않니?
B: 아니. 우리는 항상 아침을 먹어.

**41** 해설 지시·명령을 나타내므로 긍정 명령문을 쓴다. (▶ POINT 1)
해석 헬멧을 써라.

**42** 해설 금지를 나타내므로 부정 명령문을 쓴다. (▶ POINT 1)
해석 도서관에서 떠들지 마라.

**43** 해설 지시·명령을 나타내므로 긍정 명령문을 쓴다. (▶ POINT 1)
해석 여기에 자전거를 주차해라.

**44** 해설 금지를 나타내므로 부정 명령문을 쓴다. (▶ POINT 1)
해석 꽃들을 꺾지 마라.

**45** 해설 '~하면 안 된다'라는 의미이므로 부정 명령문으로 바꿔 쓴다. (▶ POINT 1)
해석 너는 수업 중에 잠들면 안 된다.
→ 수업 중에 잠들지 마라.

**46** 해설 형용사(boring)가 있으므로 How 감탄문으로 바꿔 쓴다. (▶ POINT 4)
해석 그 영화는 정말 지루했다.
→ 그 영화는 정말 지루했구나!

**47** 해설 '~해야 한다'라는 의미이므로 긍정 명령문으로 바꿔 쓴다. (▶ POINT 1)
해석 너는 웹사이트에서 기차 시간표를 확인해야 한다.
→ 웹사이트에서 기차 시간표를 확인해라.

**48** 해설 명사(palace)가 있으므로 What 감탄문으로 바꿔 쓴다. (▶ POINT 4)
해석 그것은 정말 거대한 궁전이다.
→ 그것은 정말 거대한 궁전이구나!

**49** 해설 기대지 말라는 내용이 알맞으므로 부정 명령문을 쓴다. (▶ POINT 1)
해석 지하철 문에 기대지 마라.

**50** 해설 난간을 잡으라는 내용이 알맞으므로 긍정 명령문을 쓴다. (▶ POINT 1)
해석 에스컬레이터에서 난간을 잡아라.

**51** 해설 콘센트를 만지지 말라는 내용이 알맞으므로 부정 명령문을 쓴다. (▶ POINT 1)
해석 젖은 손으로 콘센트를 만지지 마라.

**52** 해설 가스 밸브를 잠그라는 내용이 알맞으므로 긍정 명령문을 쓴다. (▶ POINT 1)
해석 조리 후 가스 밸브를 잠가라.

# CHAPTER 08

## to부정사와 동명사

### POINT 1　명사 역할을 하는 to부정사: 목적어　p. 86

1　My family chose to stay at this hotel.
2　Does Jessie wish to travel alone?
3　He promised to fix my computer.
4　Linda is planning to open an Italian restaurant.
5　The teacher decided to give a prize to Brown.
6　She did not[didn't] learn to drive.
7　My brother would like to graduate early.
8　The kid expected to get pocket money.
9　All players need to follow the rules.
10　I want to be a scientist.
11　We hope to see you again.

### POINT 2　명사 역할을 하는 to부정사: 주어와 보어　p. 87

1　The next step is to select a captain.
2　To write an essay in English is difficult.
3　Her job is to teach students math.
4　To swim is good for our health.
5　My dream is to be a famous singer.
6　To lose ten kilograms was her wish.
7　His habit is to drink water every morning.
8　To sleep well is important.
9　Our plan is to go abroad this summer.
10　To master a foreign language is not easy.
11　My goal is to pass the exam.

### POINT 3　부사 역할을 하는 to부정사　p. 88

1　Kate stopped to take a picture.
2　Were you surprised to see them?
3　He was upset to lose his cell phone.
4　Gail went to the park to exercise.
5　The child looked happy to receive a present.
6　To avoid hunters, the squirrel climbed up the tree.
7　They were pleased to meet their old friends.
8　I am[I'm] excited to start a new job.
9　Hyeyoung raised her hand to ask a question.
10　We were sorry to hear the news.
11　Our team will practice hard to win the game.

### POINT 4　형용사 역할을 하는 to부정사　p. 89

1　The chef is washing vegetables to cook.
2　Do you have anything to tell us?
3　Kevin knows a way to solve this problem.
4　Can I order something to drink?
5　She is[She's] making a bag to give her mother.

6　Soojung will bring something to eat to Minho.
7　He saved money to buy a computer.
8　Please recommend a place to visit.
9　Did you borrow anything to read?
10　We did not[didn't] have enough time to talk.
11　I need someone to help me.

### POINT 5　동명사의 쓰임　p. 90

1　Taking a nap is good for your health.
2　They are considering buying a new carpet.
3　Our mistake was sending her the wrong receipt.
4　I gave up playing the guitar.
5　His bad habit is biting his nails.
6　Rachel enjoys watching musicals.
7　Eating healthy food is important.
8　He will practice driving at night.
9　Her wish is having a cute pet.
10　The machine stopped working suddenly.
11　Don't avoid going to the dentist.

### POINT 6　전치사 + 동명사　p. 91

1　Let's go camping tomorrow.
2　She is afraid of being on the stage.
3　This book is worth reading.
4　My sister is interested in collecting stamps.
5　Are you busy preparing for the festival?
6　We thanked the firefighters for putting out the fire.
7　He is[He's] looking forward to getting a letter soon.
8　What about waiting for Robert here?
9　Penguins spend a lot of time swimming in the water.
10　I do not[don't] feel like eating out tonight.

### 기출문제 풀고 짝문제로 마무리!　p. 92

01　The best way is to take the subway.
02　We need to clean our desks.
03　Yura is looking forward to visiting the castle.
04　Reading comic books is fun.
05　The boy was excited to score a goal.
06　Her aim is to win a gold medal.
07　I want to speak five languages.
08　He is interested in solving puzzles.
09　Traveling long distances was hard.
10　They were sad to hear the story.
11　My favorite pastime is taking pictures.
12　My father has a lot of work to do.
13　Ben and Tyler got up early to see the sunrise.
14　I don't mind changing my seat.
15　She spent some money buying clothes.
16　To exercise regularly will make you healthy.
17　His problem is eating too many sweets.
18　I have nothing to say to you now.

19 To find the museum, Sue brought a map.
20 You have to finish washing the dishes by noon.
21 They are busy doing their homework.
22 To be creative is not easy.
23 My grandmother learned to send text messages.
24 She was happy to receive an award.
25 Yoonsang is good at building model ships.
26 The woman used a hairdryer to dry her hair.
27 Andy enjoys baking cookies.
28 The student didn't expect to get a perfect score.
29 Was he surprised to know my age?
30 I feel like having a snack.
31 My aunt became a nurse to help sick people.
32 You should avoid walking on dark streets.
33 We have to find a place to stay.
34 Lizzy will practice jumping rope.
35 His dream is to climb Mount Everest.
36 Does she hope to be a lawyer?
37 Making a movie takes a lot of time.
38 How about playing a board game?
39 Can you bring me something to wear?
40 Stop using your smartphone.
41 My plan was to study abroad.
42 Brian promised to lend me his laptop.
43 Downloading this file is optional.
44 They thanked us for repairing the roof.
45 I have some pictures to show you.
46 The man was glad to return to his hometown.
47 She will go to the hospital to check her stomach.
48 I need water to drink.
49 They were upset to lose the game.
50 I turned on my computer to send an e-mail.
51 Jay plans to order food online.
52 Ken gave up waking up early on the weekends.
53 Ella decided to cut her hair.
54 Derek keeps thinking about the problem.

01 해설 to부정사의 to 뒤에는 동사원형이 와야 하므로 taken을 take로 고쳐야 한다. (▶ POINT 2)

02 해설 need는 to부정사를 목적어로 쓰는 동사이므로 cleaning을 to clean으로 고쳐야 한다. (▶ POINT 1)

03 해설 「look forward to + V-ing」 표현이 알맞으므로 visit을 visiting으로 고쳐야 한다. (▶ POINT 6)

04 해설 동명사 주어는 단수 취급하므로 are를 is로 고쳐야 한다. (▶ POINT 5)

05 해설 '~하게 되어'라는 감정의 원인을 나타낼 때는 감정 형용사 뒤에 to부정사를 쓰므로 score를 to score로 고쳐야 한다. (▶ POINT 3)

06 해설 to부정사의 to 뒤에는 동사원형이 와야 하므로 winning을 win으로 고쳐야 한다. (▶ POINT 2)

07 해설 want는 to부정사를 목적어로 쓰는 동사이므로 speaking을 to speak로 고쳐야 한다. (▶ POINT 1)

08 해설 「be interested in + V-ing」 표현이 알맞으므로 to solve를 solving으로 고쳐야 한다. (▶ POINT 6)

09 해설 동명사 주어는 단수 취급하므로 were를 was로 고쳐야 한다. (▶ POINT 5)

10 해설 '~하게 되어'라는 감정의 원인을 나타낼 때는 감정 형용사 뒤에 to부정사를 쓰므로 hear를 to hear로 고쳐야 한다. (▶ POINT 3)

11 해설 '~하는 것이다'라는 의미이므로 보어 자리에 동명사를 쓴다. (▶ POINT 5)

12 해설 '~할'이라는 의미로 명사 work를 꾸며 주므로 work 뒤에 to부정사를 쓴다. (▶ POINT 4)

13 해설 '~하기 위해'라는 의미이므로 문장 뒤에 to부정사를 쓴다. (▶ POINT 3)

14 해설 mind는 동명사를 목적어로 쓰는 동사이므로 mind 뒤에 동명사를 쓴다. (▶ POINT 5)

15 해설 '~하는 데 돈을 쓰다'는 「spend + 시간/돈 + V-ing」로 표현한다. (▶ POINT 6)

16 해설 '~하는 것은'이라는 의미이므로 주어 자리에 to부정사를 쓴다. (▶ POINT 2)

17 해설 '~하는 것이다'라는 의미이므로 보어 자리에 동명사를 쓴다. (▶ POINT 5)

18 해설 '~할'이라는 의미로 대명사 nothing을 꾸며 주므로 nothing 뒤에 to부정사를 쓴다. (▶ POINT 4)

19 해설 '~하기 위해'라는 의미이므로 문장 앞에 to부정사를 쓴다. (▶ POINT 3)

20 해설 finish는 동명사를 목적어로 쓰는 동사이므로 finish 뒤에 동명사를 쓴다. (▶ POINT 5)

21 해설 '~하느라 바쁘다'는 「be busy + V-ing」로 표현한다. (▶ POINT 6)

22 해설 '~하는 것은'이라는 의미이므로 주어 자리에 to부정사를 쓴다. (▶ POINT 2)

23 해설 '배우다'라는 의미의 learn은 to부정사를 목적어로 쓰는 동사이다. (▶ POINT 1)

24 해설 감정의 원인을 나타내므로 happy 뒤에 to부정사를 쓴다. (▶ POINT 3)

25 해설 '~하는 것을 잘한다'는 「be good at + V-ing」로 표현한다. (▶ POINT 6)

26 해설 '~하기 위해'라는 의미이므로 to부정사를 쓴다. (▶ POINT 3)

27 해설 '즐기다'라는 의미의 enjoy는 동명사를 목적어로 쓰는 동사이다. (▶ POINT 5)

28 해설 '예상하다'라는 의미의 expect는 to부정사를 목적어로 쓰는 동사이다. (▶ POINT 1)

29 해설 감정의 원인을 나타내므로 surprised 뒤에 to부정사를 쓴다. (▶ POINT 3)

30 해설 전치사 like를 활용하여 '~하고 싶다'라는 의미를 나타낼 때는 「feel like + V-ing」 표현을 쓴다. (▶ POINT 6)

31 해설 '~하기 위해'라는 의미이므로 to부정사를 쓴다. (▶ POINT 3)

32 해설 '피하다'라는 의미의 avoid는 동명사를 목적어로 쓰는 동사이다. (▶ POINT 5)

33 해설 '~할'이라는 의미로 명사 place를 꾸며 주므로 place 뒤에 to부정사를 쓴다. (▶ POINT 4)

34 해설 practice는 동명사를 목적어로 쓰는 동사이므로 practice 뒤에 동명사를 쓴다. (▶ POINT 5)

35 해설 '~하는 것이다'라는 의미이며 7단어로 써야 하므로 보어 자리에 to부정사를 쓴다. (▶ POINT 2)

36 해설 hope는 to부정사를 목적어로 쓰는 동사이므로 hope 뒤에 to부정사를 쓴다. (▶ POINT 1)

37 해설 '~하는 것은'이라는 의미이며 8단어로 써야 하므로 주어 자리에 동명사를 쓴다. (▶ POINT 5)

38 해설 '~하는 게 어때?'라는 의미이며 how가 있으므로 「How about + V-ing」 표현을 쓴다. (▶ POINT 6)

39 해설 '~할'이라는 의미로 대명사 something을 꾸며 주므로 something 뒤에 to부정사를 쓴다. (▶ POINT 4)

40 해설 stop은 동명사를 목적어로 쓰는 동사이므로 stop 뒤에 동명사를 쓴다. (▶ POINT 5)

41 해설 '~하는 것이다'라는 의미이며 6단어로 써야 하므로 보어 자리에 to부정사를 쓴다. (▶ POINT 2)

42 해설 promise는 to부정사를 목적어로 쓰는 동사이므로 promise 뒤에 to부정사를 쓴다. (▶ POINT 1)

43 해설 '~하는 것은'이라는 의미이며 5단어로 써야 하므로 주어 자리에 동명사를 쓴다. (▶ POINT 5)

44 해설 '~한 것에 대해 …에게 감사하다'는 「thank … for + V-ing」로 표현한다. (▶ POINT 6)

45 해설 '보여 줄 사진들'이라는 의미가 알맞으므로 pictures 뒤에 to부정사를 쓴다.

(▶ POINT 4)

해석 나는 사진들이 몇 장 있다. 나는 그것들을 너에게 보여 줄 것이다.
→ 나는 너에게 보여 줄 사진들이 몇 장 있다.

**46** 해설 '고향으로 돌아가게 되어 기뻤다'라는 감정의 원인을 나타내는 것이 알맞으므로 glad 뒤에 to부정사를 쓴다. (▶ POINT 3)

해석 그 남자는 기뻤다. 그는 그의 고향으로 돌아갔다.
→ 그 남자는 그의 고향으로 돌아가게 되어 기뻤다.

**47** 해설 '복부를 검사하기 위해'라는 목적의 의미가 알맞으므로 문장 뒤에 to부정사를 쓴다. (▶ POINT 3)

해석 그녀는 병원에 갈 것이다. 그녀는 복부를 검사할 것이다.
→ 그녀는 복부를 검사하기 위해 병원에 갈 것이다.

**48** 해설 '마실 물'이라는 의미가 알맞으므로 water 뒤에 to부정사를 쓴다. (▶ POINT 4)

해석 나는 물이 필요하다. 나는 그것을 마실 것이다.
→ 나는 마실 물이 필요하다.

**49** 해설 '경기에서 져서 속이 상했다'라는 감정의 원인을 나타내는 것이 알맞으므로 upset 뒤에 to부정사를 쓴다. (▶ POINT 3)

해석 그들은 속이 상했다. 그들은 그 경기에서 졌다.
→ 그들은 그 경기에서 져서 속이 상했다.

**50** 해설 '이메일을 보내기 위해'라는 목적의 의미가 알맞으므로 문장 뒤에 to부정사를 쓴다. (▶ POINT 3)

해석 나는 나의 컴퓨터를 켰다. 나는 이메일을 보냈다.
→ 나는 이메일을 보내기 위해 나의 컴퓨터를 켰다.

**51** 해설 plan은 to부정사를 목적어로 쓰는 동사이다. (▶ POINT 1)

해석 Bruno: 너는 온라인으로 음식을 주문할 거니?
Jay: 응, 그럴 거야.
→ Jay는 온라인으로 음식을 주문할 계획이다.

**52** 해설 give up은 동명사를 목적어로 쓰는 동사이다. (▶ POINT 5)

해석 Bella: 너는 아직도 주말에 일찍 일어나니?
Ken: 아니, 그렇지 않아.
→ Ken은 주말에 일찍 일어나는 것을 포기했다.

**53** 해설 decide는 to부정사를 목적어로 쓰는 동사이다. (▶ POINT 1)

해석 Owen: 너는 머리를 자를 거니?
Ella: 응, 그럴 거야.
→ Ella는 머리를 자르기로 결정했다.

**54** 해설 keep은 동명사를 목적어로 쓰는 동사이다. (▶ POINT 5)

해석 Lauren: 너는 아직도 그 문제에 관해 생각하고 있니?
Derek: 응, 그래.
→ Derek은 그 문제에 관해 계속 생각하고 있다.

# CHAPTER 09
# 명사와 대명사

## POINT 1 셀 수 있는 명사    p. 98

1 A girl is doing ballet.
2 Ten sheep are running on the mountain.
3 Bears have two round ears.
4 Many churches planned Christmas events.
5 He was surprised to see the mice.
6 Did you take an umbrella this morning?
7 Five heroes are fighting in the movie.
8 Janet will buy a workbook.
9 The babies smiled at me.

## POINT 2 셀 수 없는 명사    p. 99

1 Does she want a cup of tea?
2 Gill is drinking water.
3 The mouse took three slices of cheese.
4 My mother brought me four pairs of socks.[My mother brought four pairs of socks to me.]
5 Let's bake five loaves of bread.
6 Sam saved his money in the bank.
7 May I order a glass of orange juice?
8 Cindy ate two bowls of rice.
9 Science is very difficult.
10 I need ten pieces of paper.

## POINT 3 There is/are + 명사    p. 100

1 There are vegetables in the basket.
2 Is there a park near the school?
3 There is not much snow on the roof.
4 There is a car in the garage.
5 Is there milk in the cup?
6 There is not[isn't] enough time now.
7 There are two cats under the chair.
8 Are there posters on the wall?
9 There is not[isn't] much salt in the jar.
10 There is a fly on the ceiling.
11 There are many books on the shelf.

## POINT 4 인칭대명사    p. 101

1 The black coat is hers.
2 His family will visit them next month.
3 She is my cousin.
4 He lent a soccer ball to me.
5 Can I borrow your hat?
6 The teacher told us about wind energy.
7 That trophy is ours.

8 They followed him.

## POINT 5  재귀대명사 p. 102

1 The writers wrote stories about themselves.
2 She knows herself well.
3 We were proud of ourselves.
4 I bought myself a new guitar.
5 He is[He's] angry at himself.
6 Talk about yourself.
7 My sister calls herself a genius.
8 They introduced themselves to us.
9 We should love ourselves.
10 I took a picture of myself.

## POINT 6  비인칭 주어 it p. 103

1 A: What time is it now? 지금 몇 시니?
  B: It is[It's] 4 P.M. 오후 4시야.
2 A: What day was it yesterday? 어제 무슨 요일이었니?
  B: It was Wednesday. 수요일이었어.
3 A: How was the weather this morning? 오늘 아침 날씨는 어땠니?
  B: It was cloudy. 흐렸어.
4 A: What season is it in Korea now? 지금 한국은 무슨 계절이니?
  B: It is[It's] winter. 겨울이야.
5 A: What date is it? 며칠이니?
  B: It is[It's] November 24. 11월 24일이야.
6 It is[It's] dark at night.
7 It takes five minutes by bus.
8 It is[It's] raining outside.
9 It is[It's] my birthday today.
10 It will be summer soon.

## 기출문제 풀고 짝문제로 마무리! p. 104

01 I bought seven tomatoes.
02 Are there many fruits in the grocery store?
03 Jackson ate four slices of pizza.
04 A child is hiding behind the door.
05 This is his brother's room.
06 She moved three boxes.
07 Is there a cookie on the plate?
08 Ten bowls of cereal are on the table.
09 A man is swimming in the pool.
10 The doctor will call her name soon.
11 I have a sister.
12 Happiness is the purpose of my life.
13 Please seat yourself in the chair.
14 Susie and I will visit Busan next week.
15 There are a lot of paintings on the wall.
16 Giraffes have long legs.
17 She drew an alligator.
18 Do you need sugar?
19 We enjoyed ourselves at the concert.
20 This necklace is mine.

21 There is lots of space under the bed.
22 You have to brush your teeth every day.
23 It was very hot last summer.
24 The boy saw himself in the mirror.
25 Two bottles of ink cost ten dollars.
26 There are some fish in the fishbowl.
27 Robin broke an egg.
28 We sent her flowers.[We sent flowers to her.]
29 It is[It's] five o'clock now.
30 The players praised themselves.
31 I want six loaves of bread.
32 There is a famous museum in this city.
33 Emma met an old friend today.
34 They told us funny stories.[They told funny stories to us.]
35 You should take care of yourself.
36 He gave his toy cars to them.
37 There are not many students in the library.
38 Jessica was ashamed of herself.
39 My neighbor lent me his.
40 There is not much furniture in this room.
41 Let's choose eight photos.
42 A pair of scissors is in the drawer.
43 The waiter put five knives on the table.
44 Brad tried on a pair of jeans.
45 A: What day is it today?
  B: It is[It's] Thursday.
46 A: How many miles is it from here to the post office?
  B: It is[It's] nine miles.
47 A: What season is it now?
  B: It is[It's] autumn.
48 A: May I turn on the light?
  B: Of course. It is[It's] too dark in here.
49 There is a bridge over the pond.
  There are three benches next to the lamppost.
50 I bought a can of soda and two pieces of cake.
51 There are four trees in the garden.
  There is a bird on a tree.
52 We ordered three cups of coffee and two bowls of salad.

01 [해설] tomato의 복수형은 tomatoes이다. (▶ POINT 1)
   [해석] 나는 토마토 한 개를 샀다.
   → 나는 토마토 일곱 개를 샀다.

02 [해설] 「There is/are + 명사」의 의문문: 「Is/Are there + 명사 ~?」 (▶ POINT 3)
   [해석] 그 식료품점에 많은 과일들이 있다.
   → 그 식료품점에 많은 과일들이 있니?

03 [해설] 단위명사에 -(e)s를 붙여 복수를 나타낸다. (▶ POINT 2)
   [해석] Jackson은 피자 한 조각을 먹었다.
   → Jackson은 피자 네 조각을 먹었다.

04 [해설] children의 단수형은 child이다. (▶ POINT 1)
   [해석] 그 아이들은 문 뒤에 숨고 있다.
   → 한 아이가 문 뒤에 숨고 있다.

05 [해설] '그의'는 his이다. (▶ POINT 4)
   [해석] 여기는 나의 남동생의 방이다.
   → 여기는 그의 남동생의 방이다.

06 [해설] box의 복수형은 boxes이다. (▶ POINT 1)
   [해석] 그녀는 상자 한 개를 옮겼다.
   → 그녀는 상자 세 개를 옮겼다.

**07** [해설] 「There is/are + 명사」의 의문문: 「Is/Are there + 명사 ~?」 (▶ POINT 3)
[해석] 접시에 쿠키 한 개가 있다.
→ 접시에 쿠키 한 개가 있니?

**08** [해설] 단위명사에 -(e)s를 붙여 복수를 나타낸다. (▶ POINT 2)
[해석] 시리얼 한 그릇이 식탁 위에 있다.
→ 시리얼 열 그릇이 식탁 위에 있다.

**09** [해설] men의 단수형은 man이다. (▶ POINT 1)
[해석] 두 명의 남자가 수영장에서 수영하고 있다.
→ 한 남자가 수영장에서 수영하고 있다.

**10** [해설] '그녀의'는 her이다. (▶ POINT 4)
[해석] 그 의사가 곧 너의 이름을 부를 것이다.
→ 그 의사가 곧 그녀의 이름을 부를 것이다.

**11** [해설] 하나를 나타낼 때 셀 수 있는 명사 앞에 a(n)를 쓴다. (▶ POINT 1)

**12** [해설] happiness는 셀 수 없는 명사이므로 앞에 a를 붙일 수 없다. (▶ POINT 2)

**13** [해설] 명령문의 주어 you와 목적어가 같은 대상이므로 you를 yourself로 고쳐야 한다. (▶ POINT 5)

**14** [해설] Susie and me는 주어 자리이므로 me를 I로 고쳐야 한다. (▶ POINT 4)

**15** [해설] There 뒤에 복수명사(paintings)가 있으므로 is를 are로 고쳐야 한다. (▶ POINT 3)

**16** [해설] 맥락상 기린의 다리 하나가 아닌 네 다리를 말하는 것이므로 leg를 복수형인 legs로 고쳐야 한다. (▶ POINT 1)

**17** [해설] 하나를 나타낼 때 셀 수 있는 명사 앞에 a(n)를 쓴다. (▶ POINT 1)

**18** [해설] sugar는 셀 수 없는 명사이므로 복수형으로 쓸 수 없다. (▶ POINT 2)

**19** [해설] 주어 We와 목적어가 같은 대상이므로 us를 ourselves로 고쳐야 한다. (▶ POINT 5)

**20** [해설] '~의 것'은 소유대명사로 나타내므로 my를 mine으로 고쳐야 한다. (▶ POINT 4)

**21** [해설] There 뒤에 셀 수 없는 명사(space)가 있으므로 are를 is로 고쳐야 한다. (▶ POINT 3)

**22** [해설] 맥락상 치아 한 개가 아닌 전체를 말하는 것이므로 tooth를 복수형인 teeth로 고쳐야 한다. (▶ POINT 1)

**23** [해설] 날씨를 나타낼 때 비인칭 주어 it을 쓴다. (▶ POINT 6)

**24** [해설] '그 자신'이라는 의미이므로 재귀대명사를 쓴다. (▶ POINT 5)

**25** [해설] '잉크 몇 병'은 bottles of ink로 표현한다. (▶ POINT 2)

**26** [해설] 「There are + 복수명사」 (▶ POINT 3)

**27** [해설] '계란 한 개'라는 의미이므로 egg 앞에 an을 쓴다. (▶ POINT 1)

**28** [해설] '꽃들'이라는 의미이므로 복수형으로 쓴다. (▶ POINT 1)

**29** [해설] 시간을 나타낼 때 비인칭 주어 it을 쓴다. (▶ POINT 6)

**30** [해설] '그들 자신'이라는 의미이므로 재귀대명사를 쓴다. (▶ POINT 5)

**31** [해설] '빵 몇 덩어리'는 loaves of bread로 표현한다. (▶ POINT 2)

**32** [해설] 「There is + 단수명사」 (▶ POINT 3)

**33** [해설] '오랜 친구 한 명'이라는 의미이므로 old friend 앞에 an을 쓴다. (▶ POINT 1)

**34** [해설] '이야기들'이라는 의미이므로 복수형으로 쓴다. (▶ POINT 1)

**35** [해설] 전치사 of 뒤에 재귀대명사를 쓴다. (▶ POINT 5)

**36** [해설] 주어 자리에 주격 He, 명사 앞에 소유격 his, 전치사의 목적어 자리에 목적격 them을 쓴다. (▶ POINT 4)

**37** [해설] 「There is/are + 명사」의 부정문: 「There is/are + not + 명사」 (▶ POINT 3)

**38** [해설] 전치사 of 뒤에 재귀대명사를 쓴다. (▶ POINT 5)

**39** [해설] 명사 앞에 소유격 My, 동사의 목적어 자리에 목적격 me, '~의 것'을 의미하는 자리에 소유대명사 his를 쓴다. (▶ POINT 4)

**40** [해설] 「There is/are + 명사」의 부정문: 「There is/are + not + 명사」 (▶ POINT 3)

**41** [해설] photo의 복수형은 photos이다. (▶ POINT 1)

**42** [해설] 한 쌍이 짝을 이루는 명사(scissors)는 단위명사 pair를 활용하여 수량을 나타낸다. (▶ POINT 2)

**43** [해설] knife의 복수형은 knives이다. (▶ POINT 1)

**44** [해설] 한 쌍이 짝을 이루는 명사(jeans)는 단위명사 pair를 활용하여 수량을 나타낸다. (▶ POINT 2)

**45** [해설] 요일을 나타낼 때 비인칭 주어 it을 쓴다. (▶ POINT 6)
[해석] A: 오늘 무슨 요일이니?
B: 목요일이야.

**46** [해설] 거리를 나타낼 때 비인칭 주어 it을 쓴다. (▶ POINT 6)
[해석] A: 여기서 우체국까지는 몇 마일이니?
B: 9마일이야.

**47** [해설] 계절을 나타낼 때 비인칭 주어 it을 쓴다. (▶ POINT 6)
[해석] A: 지금은 무슨 계절이니?
B: 가을이야.

**48** [해설] 명암을 나타낼 때 비인칭 주어 it을 쓴다. (▶ POINT 6)
[해석] A: 내가 불을 켜도 되니?
B: 물론이지. 여기 안은 너무 어둡네.

**49** [해설] 첫 번째 빈칸: 다리가 한 개 있으므로 「There is + 단수명사」 형태로 쓴다. (▶ POINT 3)
두 번째 빈칸: 벤치가 세 개 있으므로 「There are + 복수명사」 형태로 쓴다. (▶ POINT 3)
[해석] 연못 위에 다리 한 개가 있다.
가로등 옆에 벤치 세 개가 있다.

**50** [해설] 첫 번째 빈칸: 탄산음료 한 캔이 있으므로 a can of를 쓴다. (▶ POINT 2)
두 번째 빈칸: 케이크 두 조각이 있으므로 two pieces of를 쓴다. (▶ POINT 2)
[해석] 나는 탄산음료 한 캔과 케이크 두 조각을 샀다.

**51** [해설] 첫 번째 빈칸: 나무가 네 그루 있으므로 「There are + 복수명사」 형태로 쓴다. (▶ POINT 3)
두 번째 빈칸: 새가 한 마리 있으므로 「There is + 단수명사」 형태로 쓴다. (▶ POINT 3)
[해석] 정원에 나무 네 그루가 있다.
나무 한 그루 위에 새 한 마리가 있다.

**52** [해설] 첫 번째 빈칸: 커피 세 잔이 있으므로 three cups of를 쓴다. (▶ POINT 2)
두 번째 빈칸: 샐러드 두 그릇이 있으므로 two bowls of를 쓴다. (▶ POINT 2)
[해석] 우리는 커피 세 잔과 샐러드 두 그릇을 주문했다.

# CHAPTER 10

## 형용사, 부사, 비교

### POINT 1   형용사의 쓰임                                       p. 110

1  We are looking for someone. 우리는 누군가를 찾고 있다.
   → We are looking for someone smart. 우리는 똑똑한 누군가를 찾고 있다.
2  Andy bought a bottle. Andy는 병을 샀다.
   → Andy bought a big bottle. Andy는 큰 병을 샀다.
3  Did you see anybody there? 너는 거기서 누군가를 봤니?
   → Did you see anybody famous there?
     너는 거기서 유명한 누군가를 봤니?
4  That musician will perform soon. 저 음악가가 곧 공연할 것이다.
   → That young musician will perform soon.
     저 젊은 음악가가 곧 공연할 것이다.
5  Ice is cold.
6  He told us the good news.
7  Olivia made her pencil sharp.
8  The problem was nothing serious.
9  Does her plan sound perfect?
10 My uncle drives a small car.
11 She thinks him clever.

### POINT 2   many, much, a few, a little              p. 111

1  My mom gave me a few presents.
2  Do you drink much water?
3  I need a little time.
4  We planted many trees.
5  The baby did not[didn't] get much sleep last night.
6  Let's make a little sauce.
7  The singer has many fans.
8  She took a few pictures during her trip.
9  There is a little juice in the glass.
10 Rachel did not[didn't] gain much weight.
11 He ate a few peaches.

### POINT 3   부사의 쓰임                                          p. 112

1  The bus arrived late. 버스가 늦게 도착했다.
   → The bus arrived too late.
2  Keep your room warm. 너의 방을 따뜻하게 유지해라.
   → Keep your room comfortably warm.
3  The boy touched the cat. 그 소년은 그 고양이를 만졌다.
   → The boy touched the cat gently.
4  She didn't fall on the ice. 그녀는 빙판 위에서 넘어지지 않았다.
   → Luckily, she didn't fall on the ice.
5  We go jogging regularly.
6  Lunch is almost ready.
7  Strangely, the village was very quiet.
8  He solved the problem so easily.
9  They climbed the hill slowly.

### POINT 4   빈도부사                                            p. 113

1  My dad seldom eats fast food.
2  Is the cat often on the roof?
3  We can sometimes see shooting stars.
4  He is always friendly.
5  My mom sometimes takes me to school.
6  Do bears always sleep during the winter?
7  His stories are seldom true.
8  You should often stretch.
9  Is your brother never late for school?
10 She is[She's] usually busy on weekends.

### POINT 5   비교급 + than                                      p. 114

1  Cheetahs run faster than lions.
2  This dress is more colorful than that one.
3  I like apples more than pears.
4  The boy snored more noisily than his father.
5  Your mouth is bigger than his.
6  The new topic sounds more interesting than the original one.
7  My mother eats less than me.
8  Russia is larger than China.
9  I know him better than her.

### POINT 6   the + 최상급                                       p. 115

1  The Incheon Bridge is the longest bridge in Korea.
2  Jeonghyun speaks English the most fluently of us.
3  Harry has the most dogs of his classmates.
4  It is the most popular restaurant in the city.
5  Saturday was the busiest day of the week.
6  I rode the most terrifying roller coaster in the world.
7  She dances the best in her club.
8  Math is the most difficult of all subjects for me.
9  He walks the fastest in his family.

### 기출문제 풀고 짝문제로 마무리!                                  p. 116

01 The fashion model looks slim.
02 Today is hotter than yesterday.
03 Sadly, we had to cancel our plans.
04 That is the nicest room in this hotel.
05 Elena has more comic books than him.
06 A few students in our school are learning French.
07 Keep the baby's room warm.
08 Tomorrow will be sunnier than today.
09 Surprisingly, they won the championship.
10 Elephants are the biggest animals in the zoo.
11 My cold is worse than yours.
12 He saves a little money every month.
13 Health is the most important thing in my life.
14 She peeled the apple carefully.
15 I want to do something special this summer.

16 The man caught many fish.

17 My brother never lies to me.

18 Science class was more boring than English class.

19 This is the newest product of the four.

20 My family is living happily.

21 Is there anything strange in the box?

22 Don't put too much salt in the soup.

23 We can usually see tulips in spring.

24 This cookie is more delicious than that cookie.

25 Kate is hanging a round mirror.

26 Eric laughed the most loudly of them.

27 He gave her a little advice.[He gave a little advice to her.]

28 Tangerines taste sweeter than lemons.

29 My sister is terribly angry.

30 There is a huge ship in the sea.

31 I eat the most slowly in my family.

32 They spent a few days on the island.

33 Motorcycles are more dangerous than bicycles.

34 This building is perfectly safe.

35 Nick is the tallest of them all.

36 Ariana is shorter than Tina.

37 James has the best grade of them all.

38 Tina is older than Ariana.

39 Q: How often does Bomi study English?
A: She always studies English.

40 Q: How often does Bomi read a novel?
A: She seldom reads a novel.

41 Model B is the heaviest of the three.

42 Model A is lighter than Model B.

43 Model C is the most expensive of the three.

44 Model A is more popular than Model C.

45 Q: How often does Jisung cycle?
A: He sometimes cycles.

46 Q: How often does Jisung swim?
A: He usually swims.

47 Billy runs pretty well.

48 Is this stadium often full of people?

49 It didn't take very long.

50 Will you never change your mind?

51 Helen's hair is longer than Emma's hair.

52 Josh is the strongest of the three.

53 A baseball is smaller than a soccer ball.

54 Vanilla ice cream is the cheapest of the three.

01 [해설] 감각동사 뒤 주격 보어 자리이므로 형용사를 쓴다. (▶ POINT 1)

02 [해설] '~보다 더'라는 의미이므로 비교급을 쓴다. (▶ POINT 5)

03 [해설] 문장 전체를 꾸미는 것이므로 부사를 쓴다. (▶ POINT 3)

04 [해설] '가장 ~한'이라는 의미이므로 최상급을 쓴다. (▶ POINT 6)

05 [해설] '~보다 더'라는 의미이므로 비교급을 쓴다. many의 비교급은 more이다.
(▶ POINT 5)

06 [해설] '약간의'라는 의미이고 뒤에 복수명사(students)가 있으므로 A few를 쓴다.
(▶ POINT 2)

07 [해설] 동사 keep의 목적격 보어 자리이므로 형용사를 쓴다. (▶ POINT 1)

08 [해설] '~보다 더'라는 의미이므로 비교급을 쓴다. (▶ POINT 5)

09 [해설] 문장 전체를 꾸미는 것이므로 부사를 쓴다. (▶ POINT 3)

10 [해설] '가장 ~한'이라는 의미이므로 최상급을 쓴다. (▶ POINT 6)

11 [해설] '~보다 더'라는 의미이므로 비교급을 쓴다. bad의 비교급은 worse이다.
(▶ POINT 5)

12 [해설] '약간의'라는 의미이고 뒤에 셀 수 없는 명사(money)가 있으므로 a little을
쓴다. (▶ POINT 2)

13 [해설] '가장 ~한'이라는 의미의 최상급 형태가 되어야 하므로 important 앞에 the
most를 쓴다. (▶ POINT 6)

14 [해설] 동사를 꾸미는 것이므로 careful을 부사 carefully로 고쳐야 한다. (▶ POINT 3)

15 [해설] 형용사가 대명사를 꾸밀 때는 대명사 뒤에 형용사를 쓰므로 special
something을 something special로 고쳐야 한다. (▶ POINT 1)

16 [해설] fish는 복수명사이므로 much를 many로 고쳐야 한다. (▶ POINT 2)

17 [해설] 빈도부사는 일반동사 앞에 쓰므로 lies never를 never lies로 고쳐야 한다.
(▶ POINT 4)

18 [해설] boring의 비교급은 more boring이다. (▶ POINT 5)

19 [해설] '가장 ~한'이라는 의미의 최상급 형태가 되어야 하므로 new를 the
newest로 고쳐야 한다. (▶ POINT 6)

20 [해설] 동사를 꾸미는 것이므로 happy를 부사 happily로 고쳐야 한다. (▶ POINT 3)

21 [해설] 형용사가 대명사를 꾸밀 때는 대명사 뒤에 형용사를 쓰므로 strange
anything을 anything strange로 고쳐야 한다. (▶ POINT 1)

22 [해설] salt는 셀 수 없는 명사이므로 many를 much로 고쳐야 한다. (▶ POINT 2)

23 [해설] 빈도부사는 조동사 뒤에 쓰므로 usually can을 can usually로 고쳐야 한다.
(▶ POINT 4)

24 [해설] delicious의 비교급은 more delicious이다. (▶ POINT 5)

25 [해설] 형용사가 명사를 꾸밀 때는 「a(n)/the + 형용사 + 명사」 순으로 쓴다.
(▶ POINT 1)

26 [해설] '가장 ~한'이라는 의미이므로 「the + 최상급」 형태로 쓰며, 복수명사 앞에는
of를 쓴다. (▶ POINT 6)

27 [해설] '약간의'라는 의미로 셀 수 없는 명사(advice)를 꾸며 주므로 a little을 쓴다.
(▶ POINT 2)

28 [해설] '~보다 더'라는 의미이므로 「비교급 + than」 형태로 쓴다. (▶ POINT 5)

29 [해설] 형용사를 꾸미는 것이므로 terrible을 부사로 변형하여 쓴다. (▶ POINT 3)

30 [해설] 형용사가 명사를 꾸밀 때는 「a(n)/the + 형용사 + 명사」 순으로 쓴다.
(▶ POINT 1)

31 [해설] '가장 ~한'이라는 의미이므로 「the + 최상급」 형태로 쓰며, 집단 앞에는 in을
쓴다. (▶ POINT 6)

32 [해설] '몇'이라는 의미로 복수명사(days)를 꾸며 주므로 a few를 쓴다.
(▶ POINT 2)

33 [해설] '~보다 더'라는 의미이므로 「비교급 + than」 형태로 쓴다. (▶ POINT 5)

34 [해설] 형용사를 꾸미는 것이므로 perfect를 부사로 변형하여 쓴다. (▶ POINT 3)

35 [해설] Nick이 가장 키가 크므로 「the + 최상급」 형태로 쓴다. (▶ POINT 6)
[해석] Nick은 그들 중에서 가장 키가 크다.

36 [해설] Ariana는 Tina보다 더 키가 작으므로 「비교급 + than」 형태로 쓴다.
(▶ POINT 5)
[해석] Ariana는 Tina보다 더 키가 작다.

37 [해설] James의 성적이 가장 좋으므로 「the + 최상급」 형태로 쓴다. good의
최상급은 best이다. (▶ POINT 6)
[해석] James는 그들 중에서 가장 성적이 좋다.

38 [해설] Tina는 Ariana보다 더 나이가 많으므로 「비교급 + than」 형태로 쓴다.
(▶ POINT 5)
[해석] Tina는 Ariana보다 더 나이가 많다.

39
~ [해석]
40

| | 월요일 | 화요일 | 수요일 | 목요일 | 금요일 |
|---|---|---|---|---|---|
| 영어 공부하기 | √ | √ | √ | √ | √ |
| 소설 읽기 | | | √ | | |

**39** 해설 보미는 월요일~금요일에 영어 공부를 하므로 always(항상)를 쓴다.
(▶ POINT 4)

해석 Q: 보미는 얼마나 자주 영어 공부를 하니?
A: 그녀는 항상 영어 공부를 해.

**40** 해설 보미는 수요일에 한 번 소설을 읽으므로 seldom(거의 ~않다)을 쓴다.
(▶ POINT 4)

해석 Q: 보미는 얼마나 자주 소설을 읽니?
A: 그녀는 거의 소설을 읽지 않아.

**41** 해설 B 모델이 가장 무거우므로 「the + 최상급」 형태로 쓴다. (▶ POINT 6)

해석 B 모델은 세 가지 중에서 가장 무겁다.

**42** 해설 A 모델은 B 모델보다 더 가벼우므로 「비교급 + than」 형태로 쓴다.
(▶ POINT 5)

해석 A 모델은 B 모델보다 더 가볍다.

**43** 해설 C 모델이 가장 비싸므로 「the + 최상급」 형태로 쓴다. (▶ POINT 6)

해석 C 모델은 세 가지 중에서 가장 비싸다.

**44** 해설 A 모델이 C 모델보다 더 인기가 있으므로 「비교급 + than」 형태로 쓴다.
(▶ POINT 5)

해석 A 모델은 C 모델보다 더 인기가 있다.

**45
~
46** 해석

| | 월요일 | 화요일 | 수요일 | 목요일 | 금요일 |
|---|---|---|---|---|---|
| 자전거 타기 | | | | √ | √ |
| 수영하기 | √ | √ | √ | | √ |

**45** 해설 지성은 목요일과 금요일에 두 번 자전거를 타므로 sometimes(가끔)를 쓴다.
(▶ POINT 4)

해석 Q: 지성은 얼마나 자주 자전거를 타니?
A: 그는 가끔 자전거를 타.

**46** 해설 지성은 월요일, 화요일, 수요일, 금요일에 네 번 수영을 하므로 usually
(보통)를 쓴다. (▶ POINT 4)

해석 Q: 지성은 얼마나 자주 수영을 하니?
A: 그는 보통 수영을 해.

**47** 해설 부사는 다른 부사 앞에서 꾸민다. (▶ POINT 3)

**48** 해설 의문문의 경우, 빈도부사는 주어 바로 뒤에 쓴다. (▶ POINT 4)

**49** 해설 부사는 다른 부사 앞에서 꾸민다. (▶ POINT 3)

**50** 해설 의문문의 경우, 빈도부사는 주어 바로 뒤에 쓴다. (▶ POINT 4)

**51** 해설 Helen의 머리는 Emma의 머리보다 더 길므로 「비교급 + than」 형태로
쓴다. (▶ POINT 5)

해석 Helen의 머리는 Emma의 머리보다 더 길다.

**52** 해설 셋을 비교하는 것이므로 「the + 최상급」 형태로 쓰며, 가장 힘이 센 사람은
Josh이다. (▶ POINT 6)

해석 Josh는 세 명 중에서 가장 힘이 세다.

**53** 해설 야구공은 축구공보다 더 작으므로 「비교급 + than」 형태로 쓴다. (▶ POINT 5)

해석 야구공은 축구공보다 더 작다.

**54** 해설 셋을 비교하는 것이므로 「the + 최상급」 형태로 쓰며, 가장 싼 아이스크림은
바닐라 아이스크림이다. (▶ POINT 6)

해석 바닐라 아이스크림은 세 가지 중에서 가장 싸다.

# CHAPTER 11

# 전치사

## POINT 1 장소·위치를 나타내는 전치사 p. 122

1 A cat is behind the tree.
2 Let's get out of the house.
3 We set up two tents by the river.
4 An old man is sitting in front of me.
5 He poured coffee into the cup.
6 The plane is landing at the airport.
7 The church is next to the bank.
8 Nora caught a fly on the ceiling.

## POINT 2 시간을 나타내는 전치사 p. 123

1 Can I return these books after the weekend?
2 The singer will hold a concert in December.
3 She took a walk during her lunch break.
4 They will go skiing on New Year's Day.
5 We have to visit the palace before sunset.
6 Mr. Kim taught science for eight years.
7 Kevin takes a shower in the evening.
8 The bell rings at nine o'clock.
9 My family lived in LA from 2014 to 2020.
10 I will watch my favorite drama on Sunday.

## POINT 3 기타 전치사 p. 124

1 Ron went to the gym by bicycle.
2 The guide is talking about Dokdo.
3 One of my goals is to get a perfect score.
4 His voice is sweet like honey.
5 Are you going to have dinner with your friends?
6 My mother always drinks coffee without sugar.
7 Open the lid of the bottle.
8 You can contact us by e-mail.
9 I want to buy a jacket with a hood.
10 She hates sour fruits like lemons.

## POINT 4 전치사 관용 표현 p. 125

1 Don't[Do not] spend too much money on a new computer.
2 The teacher was angry at him.
3 Peter is listening to music in his room.
4 Bats look for food at night.
5 The museum was full of tourists.
6 Why did not[didn't] you ask for help?
7 She did not[didn't] laugh at any jokes.
8 To eat fresh vegetables is good for our health.
9 Look at that blue sky.
10 You should be proud of yourself.

**01** They planted a tree between the two houses.

**02** The students were busy with their homework.

**03** You should go to bed before midnight.

**04** Brian will play soccer with his classmates.

**05** She is[She's] looking for her lost wallet at the bus stop.

**06** D comes between C and E in the alphabet.

**07** Plastic is bad for the environment.

**08** We had history class before math class.

**09** Who is that boy with glasses?

**10** Is the teacher waiting for us in the classroom?

**11** Clean your room after dinner.

**12** The baby is sleeping next to the puppy.

**13** Hyunsoo will save half of his pocket money.

**14** The players are ready for the game.

**15** They ran from school to the library.

**16** Like Santa Claus, he carries a big red bag.

**17** My family will move after a few days.

**18** Jessie put a big pot by the door.

**19** Please write the first letter of your middle name.

**20** He was sorry for the problem.

**21** We traveled from India to Singapore.

**22** I listen to various types of music like hip-hop, jazz, and rock.

**23** ⓐ It rained for two days.
ⓑ I like the sound of trumpets.
ⓒ She put a stamp on the envelope.
ⓓ Elena comes from France.

**24** ⓐ Don't throw trash out of the window.
ⓑ Children must be careful with fire.
ⓒ I climbed to the top of the mountain yesterday.
ⓓ Jack went to the park with her.

**25** ⓐ The boy swam across the lake.
ⓑ My father drank a glass of wine at dinnertime.
ⓒ It takes 20 minutes by subway.
ⓓ Let's meet on Friday morning.

**26** Dear Jake,
ⓐ My birthday is on June 17. ⓑ Can you come to my birthday party? ⓒ The party will be at my house. I hope to see you soon! P.S. ⓓ Your birthday is in July, isn't it?

**27** ⓐ He studied from 4 P.M. to 7 P.M.
ⓑ There is a rainbow over the river.
ⓒ We will stay at this hotel for a week.
ⓓ What is she talking about?

**28** ⓐ My parents are proud of me.
ⓑ Korea held the World Cup in 2002.
ⓒ The kids made a snowman next to the mailbox.
ⓓ He is good at sports.

**29** ⓐ What will you do on Christmas evening?
ⓑ They ran around the track.
ⓒ People cannot live without water.
ⓓ There is a motorcycle between the trucks.

**30** Dear Sophia,
ⓐ Yesterday, I arrived in Italy at 10 P.M. ⓑ I'm writing this letter in a beautiful café. ⓒ There are many interesting places here. ⓓ I will visit Italy again in the summer. Let's go together then.

**31** Junho sits behind Sunmi.

**32** Mijin sits in front of Hyoshin.

**33** Sunmi sits between Kyungsoo and Mijin.

**34** The cell phone is on the bed.

**35** The teddy bear is under the chair.

**36** A girl is walking out of the room.

**37** The hospital is between the bank and the bakery.

**38** The bank is across from the police station.

**39** The post office is next to the police station.

**40** There is a clock on the wall.

**41** The cat is jumping over the table.

**42** The vase is behind the hat.

**43** Thank you for your advice.

**44** Is he afraid of spiders?

**45** The tourist did not ask for a refund.

**46** Don't be late for the train.

**47** We can't watch *Thor* on Wednesday.

**48** *Minions* shows before *Jurassic World*.

**49** We can only watch *Jurassic World* in the afternoon.

**50** *Avatar* shows for three hours.

**51** Susan finished yoga at 11:00 A.M.

**52** Susan rode a bicycle after her piano lesson.

**53** Susan made chocolate in the evening.

**54** Susan played a computer game for an hour.

---

**01** 해설 '~ 사이에'라는 의미이므로 between을 쓴다. (▶ POINT 1)

**02** 해설 '~으로 바쁘다'는 be busy with로 표현한다. (▶ POINT 4)

**03** 해설 '~ 전에'라는 의미이므로 before를 쓴다. (▶ POINT 2)

**04** 해설 '~과 함께'라는 의미이므로 with를 쓴다. (▶ POINT 3)

**05** 해설 동사 look을 활용하여 '~을 찾다'라는 의미를 표현할 때는 look for를 쓰며, '~에서'라는 의미로 하나의 지점을 나타낼 때는 at을 쓴다. (▶ POINT 1, 4)

**06** 해설 '~ 사이에'라는 의미이므로 between을 쓴다. (▶ POINT 1)

**07** 해설 '~에 나쁘다'는 be bad for로 표현한다. (▶ POINT 4)

**08** 해설 '~ 전에'라는 의미이므로 before를 쓴다. (▶ POINT 2)

**09** 해설 '~을 낀, ~을 가진'이라는 의미이므로 with를 쓴다. (▶ POINT 3)

**10** 해설 동사 wait를 활용하여 '~을 기다리다'라는 의미를 표현할 때는 wait for를 쓰며, '~에서'라는 의미로 공간의 내부를 나타낼 때는 in을 쓴다. (▶ POINT 1, 4)

**11** 해설 '~ 후에'라는 의미이므로 after를 쓴다. (▶ POINT 2)

**12** 해설 '~ 옆에'라는 의미이므로 next to를 쓴다. (▶ POINT 1)

**13** 해설 '용돈의 절반'이라는 부분을 나타내므로 of를 쓴다. (▶ POINT 3)

**14** 해설 '~에 준비가 되다'는 be ready for로 표현한다. (▶ POINT 4)

**15** 해설 '~에서 …까지'라는 의미이므로 from ~ to를 쓴다. (▶ POINT 1)

**16** 해설 '~처럼'이라는 의미이므로 like를 쓴다. (▶ POINT 3)

**17** 해설 '~ 후에'라는 의미이므로 after를 쓴다. (▶ POINT 2)

**18** 해설 '~ 옆에'라는 의미이므로 by를 쓴다. (▶ POINT 1)

**19** 해설 '가운데 이름의 첫 글자'라는 소유·소속을 나타내므로 of를 쓴다. (▶ POINT 3)

**20** 해설 '~에 대해 미안해하다'는 be sorry for로 표현한다. (▶ POINT 4)

**21** 해설 '~에서 …까지'라는 의미이므로 from ~ to를 쓴다. (▶ POINT 1)

**22** 해설 '~ 같은'이라는 의미이므로 like를 쓴다. (▶ POINT 3)

**23** 해설 ⓐ 숫자를 포함한 기간 표현 앞에는 during이 아닌 for를 쓴다. (▶ POINT 2)
ⓒ 표면에 접촉한 상태는 over가 아닌 on을 쓴다. (▶ POINT 1)
해석 ⓐ 이틀 동안 비가 왔다.
ⓑ 나는 트럼펫 소리를 좋아한다.
ⓒ 그녀는 그 봉투에 우표를 붙였다.
ⓓ Elena는 프랑스에서 왔다.

**24** 해설 ⓑ '~을 조심하다'라는 의미일 때는 careful 뒤에 to가 아닌 with를 쓴다.
(▶ POINT 4)

ⓓ 전치사 뒤에는 목적격을 쓰므로 she를 her로 고쳐야 한다. (▶ POINT 1)

[해석] ⓐ 창문 밖으로 쓰레기를 버리지 마라.
ⓑ 아이들은 불을 조심해야 한다.
ⓒ 나는 어제 산꼭대기까지 올라갔다.
ⓓ Jack은 그녀와 함께 공원에 갔다.

**25** [해설] ⓒ '~을 타고'라는 의미로 교통수단을 나타낼 때는 for가 아닌 by를 쓴다. (▶ POINT 3)
ⓓ 특정한 날의 아침에는 in이 아닌 on을 쓴다. (▶ POINT 2)

[해석] ⓐ 그 소년은 호수를 가로질러 수영했다.
ⓑ 나의 아빠는 저녁 식사 시간에 와인 한 잔을 마셨다.
ⓒ 지하철로 20분 걸린다.
ⓓ 금요일 아침에 만나자.

**26** [해설] ⓐ 날짜 앞에는 in이 아닌 on을 쓴다. (▶ POINT 2)
ⓓ 월 앞에는 on이 아닌 in을 쓴다. (▶ POINT 2)

[해석] Jake에게,
나의 생일은 6월 17일이야. 너는 나의 생일 파티에 올 수 있니? 파티는 나의 집에서 할 거야. 곧 만나길 바라!
추신: 너의 생일은 7월이야, 그렇지 않니?

**27** [해설] ⓑ 떨어져서 바로 위를 나타낼 때는 on이 아닌 over를 쓴다. (▶ POINT 1)
ⓒ 숫자를 포함한 기간 표현 앞에는 during이 아닌 for를 쓴다. (▶ POINT 2)

[해석] ⓐ 그는 오후 4시부터 오후 7시까지 공부했다.
ⓑ 강 위에 무지개가 있다.
ⓒ 우리는 일주일 동안 이 호텔에 머무를 것이다.
ⓓ 그녀는 무엇에 관해 이야기하고 있니?

**28** [해설] ⓐ 전치사 뒤에는 목적격을 쓰므로 I를 me로 고쳐야 한다. (▶ POINT 1)
ⓓ '~을 잘하다'라는 의미일 때는 good 뒤에 for가 아닌 at을 쓴다. (▶ POINT 4)

[해석] ⓐ 나의 부모님은 나를 자랑스러워하신다.
ⓑ 한국은 2002년에 월드컵을 개최했다.
ⓒ 그 아이들은 우체통 옆에 눈사람을 만들었다.
ⓓ 그는 운동을 잘한다.

**29** [해설] ⓐ 특정한 날의 저녁에는 in이 아닌 on을 쓴다. (▶ POINT 2)
ⓒ '~ 없이'라는 의미가 알맞으므로 with를 without으로 고쳐야 한다. (▶ POINT 3)

[해석] ⓐ 너는 크리스마스 저녁에 무엇을 할 거니?
ⓑ 그들은 경주로 주위를 뛰었다.
ⓒ 사람들은 물 없이 살 수 없다.
ⓓ 트럭들 사이에 오토바이가 한 대가 있다.

**30** [해설] ⓐ 시각 앞에는 on이 아닌 at을 쓴다. (▶ POINT 2)
ⓓ 계절 앞에는 at이 아닌 in을 쓴다. (▶ POINT 2)

[해석] Sophia에게,
어제, 나는 오후 10시에 이탈리아에 도착했어. 나는 아름다운 카페에서 이 편지를 쓰고 있어. 여기에는 많은 흥미로운 장소들이 있어. 나는 여름에 이탈리아를 다시 방문할 거야. 그때 같이 가자.

**31** [해설] 준호는 선미 뒤에 있으므로 behind를 쓴다. (▶ POINT 1)
[해석] 준호는 선미 뒤에 앉아 있다.

**32** [해설] 미진은 효신 앞에 있으므로 in front of를 쓴다. (▶ POINT 1)
[해석] 미진은 효신 앞에 앉아 있다.

**33** [해설] 선미는 경수와 미진 사이에 있으므로 between을 쓴다. (▶ POINT 1)
[해석] 선미는 경수와 미진 사이에 앉아 있다.

**34** [해설] 휴대 전화는 침대 위에 있으므로 on을 쓴다. (▶ POINT 1)
[해석] 휴대 전화는 침대 위에 있다.

**35** [해설] 곰 인형은 의자 밑에 있으므로 under를 쓴다. (▶ POINT 1)
[해석] 곰 인형은 의자 밑에 있다.

**36** [해설] 한 소녀가 방 밖으로 나가고 있으므로 out of를 쓴다. (▶ POINT 1)
[해석] 한 소녀가 방 밖으로 걸어나가고 있다.

**37** [해설] 병원은 은행과 빵집 사이에 있으므로 between을 쓴다. (▶ POINT 1)
[해석] 병원은 은행과 빵집 사이에 있다.

**38** [해설] 은행은 경찰서 맞은편에 있으므로 across를 쓴다. (▶ POINT 1)
[해석] 은행은 경찰서 맞은편에 있다.

**39** [해설] 우체국은 경찰서 옆에 있으므로 next to를 쓴다. (▶ POINT 1)
[해석] 우체국은 경찰서 옆에 있다.

**40** [해설] 벽에 시계가 붙어 있으므로 on을 쓴다. (▶ POINT 1)
[해석] 벽에 시계 한 개가 있다.

**41** [해설] 고양이가 탁자 위를 뛰어넘고 있으므로 over를 쓴다. (▶ POINT 1)
[해석] 고양이가 탁자를 뛰어넘고 있다.

**42** [해설] 꽃병은 모자 뒤에 있으므로 behind를 쓴다. (▶ POINT 1)
[해석] 꽃병은 모자 뒤에 있다.

**43** [해설] thank … for(~에 대해 …에게 감사해하다) (▶ POINT 4)

**44** [해설] be afraid of(~을 무서워하다) (▶ POINT 4)

**45** [해설] ask for(~을 요청하다) (▶ POINT 4)

**46** [해설] be late for(~에 늦다) (▶ POINT 4)

**47**
**50** [해석]

| | 수요일, 3월 2일 | 목요일, 3월 3일 |
| --- | --- | --- |
| 오전 9시 – 오전 11시 | '미니언즈' | '토르' |
| 오후 12시 – 오후 2시 | '미니언즈' | '미니언즈' |
| 오후 3시 – 오후 5시 | '쥬라기 월드' | '쥬라기 월드' |
| 오후 6시 – 오후 9시 | '아바타' | '아바타' |

**47** [해설] 요일 앞에는 on을 쓴다. (▶ POINT 2)
[해석] 우리는 수요일에 '토르'를 볼 수 없다.

**48** [해설] '미니언즈'는 '쥬라기 월드' 전에 상영하므로 before를 쓴다. (▶ POINT 2)
[해석] '미니언즈'는 '쥬라기 월드' 전에 상영한다.

**49** [해설] 오후 앞에는 in을 쓴다. (▶ POINT 2)
[해석] 우리는 오후에만 '쥬라기 월드'를 볼 수 있다.

**50** [해설] 숫자를 포함한 기간 표현 앞에는 for를 쓴다. (▶ POINT 2)
[해석] '아바타'는 세 시간 동안 상영한다.

**51**
**54** [해석]

| 오전 10시 – 11시 | 요가하기 |
| --- | --- |
| 오후 1시 – 2시 | 피아노 수업받기 |
| 오후 3시 – 5시 | 자전거 타기 |
| 오후 7시 – 8시 | 초콜릿 만들기 |
| 오후 8시 – 9시 | 컴퓨터 게임하기 |

**51** [해설] 시각 앞에는 at을 쓴다. (▶ POINT 2)
[해석] Susan은 오전 11시에 요가를 끝냈다.

**52** [해설] 피아노 수업 후에 자전거를 탔으므로 after를 쓴다. (▶ POINT 2)
[해석] Susan은 그녀의 피아노 수업 후에 자전거를 탔다.

**53** [해설] 저녁 앞에는 in을 쓴다. (▶ POINT 2)
[해석] Susan은 저녁에 초콜릿을 만들었다.

**54** [해설] 숫자를 포함한 기간 표현 앞에는 for를 쓴다. (▶ POINT 2)
[해석] Susan은 한 시간 동안 컴퓨터 게임을 했다.

# CHAPTER 12

# 접속사

## POINT 1 　and, but, or
p. 132

1　Irene will clean her room and wash the dishes.
2　Harold is thin but strong.
3　Why don't we go surfing or hiking?
4　Mom likes pizza, but Dad doesn't like pizza.
5　The boy closed the door slowly and quietly.
6　I can order online, or we can go to the store together.
7　The cheese smelled terrible but tasted good.
8　The kid will hide under the bed or in the closet.
9　The sky is blue, and the clouds are white.
10　Penguins have wings, but they cannot[can't] fly.

## POINT 2 　when, before, after
p. 133

1　Many people were shocked when they watched the news.
2　Before it is too late, tell her the truth.
3　Jiwoo wrote a book report after she read the novel.
4　Drink warm water after you wake up.
5　Before Paul goes to bed, he will brush his teeth.
6　When she left my house, it started to rain.
7　After Mark has lunch, he will take a nap.
8　I look at family pictures when I am[I'm] sad.
9　My sister checked the calories before she ate the food.
10　After the sun sets, we can see the stars.

## POINT 3 　because, if
p. 134

1　Because I did not[didn't] do my homework, my parents were angry.
2　You'll be on time if you hurry.
3　If this word is wrong, mark it with an X.
4　Because Janet had a headache, she went to the hospital.
5　Because it is[it's] snowing, we can't play soccer.
6　If you need a laptop, you can use this one.
7　My grandparents laughed a lot because of the comedy movie.
8　If she comes to my house tomorrow, we will play a game together.
9　My brother skipped dinner because he was not[wasn't] hungry.
10　They wore masks because of the yellow dust.
11　If you add some salt, it will taste better.

## POINT 4 　that
p. 135

1　People say that walking is good for health.
2　The child believed that Santa Claus was real.
3　They hope that Team A will win.
4　Jane thinks she left her book in the library.
5　Remember (that) my birthday is this month.
6　You should know (that) your parents love you.
7　He hopes (that) he will become a famous singer.

8　My sister did not[didn't] say (that) she had a terrible cold.
9　I thought (that) the exam was difficult.
10　Jackie heard (that) this painting brings good luck.
11　Daniel believed (that) you did not[didn't] lie.

## 기출문제 풀고 짝문제로 마무리!
p. 136

01　The girl wants to be a chef or a doctor.
02　We are excited because it is Friday.
03　Riding a bicycle and skiing are my hobbies.
04　I know that Kevin is your friend.
05　When Ivy saw the presents, she was surprised.
06　The lesson was interesting but too long.
07　You can take a rest if you are tired.
08　The eraser is on the desk or in the drawer.
09　We thought that it was a panda.
10　Before the game begins, you have to stretch.
11　My mom prepared dinner, and I made dessert.
12　My father's car looks old, but it works well.
13　He looked in the mirror before he took a picture.
14　We will visit Rome when we go to Italy.
15　I am sad because my friend will move to another country.
16　Call this number if you want to contact us.
17　That man is my teacher, and he is from England.
18　Rose can dance well, but Jake can't dance well.
19　Let's wash our hands before we make the cake.
20　I will read a book when I have free time.
21　He wore a thick coat because it was cold.
22　Raise your hand if you have any questions.
23　I heard (that) the singer plans to visit Seoul.
24　He will study abroad after he graduates.
25　She walked slowly because of her injury.
26　We can take a taxi or walk to the hotel.
27　If my brother gets good grades, my parents will be glad.
28　We can't believe (that) they won the contest.
29　I will meet Peter before I go home.
30　She is popular because of her kindness.
31　Samuel went to the park and enjoyed the picnic.
32　If Emily needs help, she will call us.
33　The doctor said that I should exercise regularly.
34　Do you want to watch a musical or a movie?
35　My dog snores when it sleeps.
36　He likes watermelons because they are sweet.
37　She is hungry, but there is nothing to eat.
38　Take this medicine after you eat.
39　You should remember that his name is Louis.
40　Do you want to play the piano or fly a drone?
41　She wears an apron when she bakes cookies.
42　My mother bought apples because she will make apple jam.
43　I'm not good at math, but I'm good at science.
44　Ivan played outside after he did his homework.
45　I think (that) the student is sleepy.
46　Judy feels happy when she listens to music.
47　I believe (that) monkeys are smart.
48　Michael brings a shopping bag when he shops for groceries.

**49** Ted brushes his teeth <u>after</u> he reads an English newspaper.

**50** Ted brushes his teeth <u>before</u> he leaves home.

**51** Lucy planned her trip <u>before</u> she packed her bags.

**52** Lucy walked her dog <u>after</u> she packed her bags.

---

**01** 해설 or는 문법적인 성격이 같은 것을 연결하므로 「명사 + or + 명사」 형태로 쓴다. (▶ POINT 1)

**02** 해설 because는 절과 절을 연결한다. (▶ POINT 3)

**03** 해설 and는 문법적인 성격이 같은 것을 연결하므로 「동명사구 + and + 동명사구」 형태로 쓴다. (▶ POINT 1)

**04** 해설 목적어 자리에 절이 올 때는 동사 뒤에 that을 쓴다. (▶ POINT 4)

**05** 해설 when은 절과 절을 연결한다. (▶ POINT 2)

**06** 해설 but은 문법적인 성격이 같은 것을 연결하므로 「형용사 + but + 형용사」 형태로 쓴다. (▶ POINT 1)

**07** 해설 if는 절과 절을 연결한다. (▶ POINT 3)

**08** 해설 or는 문법적인 성격이 같은 것을 연결하므로 「전치사구 + or + 전치사구」 형태로 쓴다. (▶ POINT 1)

**09** 해설 목적어 자리에 절이 올 때는 동사 뒤에 that을 쓴다. (▶ POINT 4)

**10** 해설 before는 절과 절을 연결한다. (▶ POINT 2)

**11** 해설 and는 '그리고'라는 의미로 서로 대등한 내용을 연결한다. (▶ POINT 1)
해석 나의 엄마는 저녁을 준비하셨고, 나는 디저트를 만들었다.

**12** 해설 but은 '하지만'이라는 의미로 서로 반대되는 내용을 연결한다. (▶ POINT 1)
해석 나의 아빠의 차는 낡아 보이지만, 작동은 잘 된다.

**13** 해설 before는 '~하기 전에'라는 의미이다. (▶ POINT 2)
해석 그는 사진을 찍기 전에 거울을 봤다.

**14** 해설 when은 '~할 때'라는 의미이다. (▶ POINT 2)
해석 우리는 이탈리아에 갈 때 로마를 방문할 것이다.

**15** 해설 because는 '~ 때문에'라는 이유를 나타낸다. (▶ POINT 3)
해석 나의 친구가 다른 나라로 이사할 것이기 때문에 나는 슬프다.

**16** 해설 if는 '만약 ~한다면'이라는 조건을 나타낸다. (▶ POINT 3)
해석 만약 우리에게 연락하고 싶다면 이 번호로 전화해라.

**17** 해설 and는 '그리고'라는 의미로 서로 대등한 내용을 연결한다. (▶ POINT 1)
해석 저 남자는 나의 선생님이고, 그는 영국에서 왔다.

**18** 해설 but은 '하지만'이라는 의미로 서로 반대되는 내용을 연결한다. (▶ POINT 1)
해석 Rose는 춤을 잘 출 수 있지만, Jake는 춤을 잘 못 춘다.

**19** 해설 before는 '~하기 전에'라는 의미이다. (▶ POINT 2)
해석 우리 케이크를 만들기 전에 손을 씻자.

**20** 해설 when은 '~할 때'라는 의미이다. (▶ POINT 2)
해석 나는 여가 시간이 있을 때 책을 읽을 것이다.

**21** 해설 because는 '~ 때문에'라는 이유를 나타낸다. (▶ POINT 3)
해석 그는 추웠기 때문에 두꺼운 코트를 입었다.

**22** 해설 if는 '만약 ~한다면'이라는 조건을 나타낸다. (▶ POINT 3)
해석 만약 질문이 있다면 손을 들어라.

**23** 해설 목적어 자리에 절이 올 때는 동사 뒤에 if가 아닌 that을 쓴다. (▶ POINT 4)

**24** 해설 after가 이끄는 절에서는 미래를 나타내더라도 현재시제를 쓰므로 will graduate를 graduates로 고쳐야 한다. (▶ POINT 2)

**25** 해설 뒤에 명사(her injury)가 있으므로 접속사 because를 전치사 because of로 고쳐야 한다. (▶ POINT 3)

**26** 해설 or는 문법적인 성격이 같은 것을 연결하므로 walking을 walk로 고쳐야 한다. (▶ POINT 1)

**27** 해설 if가 이끄는 절에서는 미래를 나타내더라도 현재시제를 쓰므로 will get을

**28** 해설 목적어 자리에 절이 올 때는 동사 뒤에 if가 아닌 that을 쓴다. (▶ POINT 4)

**29** 해설 before가 이끄는 절에서는 미래를 나타내더라도 현재시제를 쓰므로 will go를 go로 고쳐야 한다. (▶ POINT 2)

**30** 해설 뒤에 명사(her kindness)가 있으므로 접속사 because를 전치사 because of로 고쳐야 한다. (▶ POINT 3)

**31** 해설 and는 문법적인 성격이 같은 것을 연결하므로 enjoys를 enjoyed로 고쳐야 한다. (▶ POINT 1)

**32** 해설 if가 이끄는 절에서는 미래를 나타내더라도 현재시제를 쓰므로 will need를 needs로 고쳐야 한다. (▶ POINT 3)

**33** 해설 의사가 말한 내용이 'I should ~ regularly'이므로 said 뒤에 that을 써서 절을 연결한다. (▶ POINT 4)
해석 그 의사는 내가 규칙적으로 운동해야 한다고 말했다.

**34** 해설 두 가지 선택 사항은 or로 연결한다. (▶ POINT 1)
해석 너는 뮤지컬이나 영화를 보기를 원하니?

**35** 해설 '~할 때'라는 의미로 연결하는 것이 알맞으므로 when을 쓴다. (▶ POINT 2)
해석 나의 강아지는 잘 때 코를 곤다.

**36** 해설 '~하기 때문에'라는 의미로 연결하는 것이 알맞으므로 because를 쓴다. (▶ POINT 3)
해석 그는 수박이 달기 때문에 좋아한다.

**37** 해설 서로 반대되는 내용은 but으로 연결한다. (▶ POINT 1)
해석 그녀는 배가 고프지만, 먹을 것이 없다.

**38** 해설 '~한 후에'라는 의미로 연결하는 것이 알맞으므로 after를 쓴다. (▶ POINT 2)
해석 식사 후에 이 약을 먹어라.

**39** 해설 기억해야 할 내용이 'His name ~ Louis'이므로 remember 뒤에 that을 써서 절을 연결한다. (▶ POINT 4)
해석 너는 그의 이름이 Louis라는 것을 기억해야 한다.

**40** 해설 두 가지 선택 사항은 or로 연결한다. (▶ POINT 1)
해석 너는 피아노를 치거나 드론을 날리기를 원하니?

**41** 해설 '~할 때'라는 의미로 연결하는 것이 알맞으므로 when을 쓴다. (▶ POINT 2)
해석 그녀는 쿠키를 구울 때 앞치마를 입는다.

**42** 해설 '~하기 때문에'라는 의미로 연결하는 것이 알맞으므로 because를 쓴다. (▶ POINT 3)
해석 나의 엄마는 사과잼을 만드실 것이기 때문에 사과들을 사셨다.

**43** 해설 서로 반대되는 내용은 but으로 연결한다. (▶ POINT 1)
해석 나는 수학을 잘 못하지만, 나는 과학은 잘한다.

**44** 해설 '~한 후에'라는 의미로 연결하는 것이 알맞으므로 after를 쓴다. (▶ POINT 2)
해석 Ivan은 그의 숙제를 한 후에 밖에서 놀았다.

**45** 해설 think 뒤에 that을 써서 목적어절을 연결한다. (▶ POINT 4)
해석 나는 그 학생이 졸려 한다고 생각한다.

**46** 해설 음악을 들을 때 느끼는 것이므로 when을 써서 절을 연결한다. (▶ POINT 2)
해석 Judy는 음악을 들을 때 행복함을 느낀다.

**47** 해설 believe 뒤에 that을 써서 목적어절을 연결한다. (▶ POINT 4)
해석 나는 원숭이들이 똑똑하다고 믿는다.

**48** 해설 쇼핑할 때 가지고 오는 것이므로 when을 써서 절을 연결한다. (▶ POINT 2)
해석 Michael은 식료품을 살 때 쇼핑백을 가지고 온다.

**49 ~ 50** 해석

| 오전 7시 | 영어 신문 읽기 |
|---|---|
| 오전 7시 30분 | 이 닦기 |
| 오전 8시 | 집 나가기 |

**49** 해설 신문을 읽은 후에 이를 닦으므로 after를 쓴다. (▶ POINT 2)
해석 Ted는 영어 신문을 읽은 후에 이를 닦는다.

**50** 해설 집을 나가기 전에 이를 닦으므로 before를 쓴다. (▶ POINT 2)

해석 Ted는 집을 나가기 전에 이를 닦는다.

해석

| 오전 9시 – 9시 30분 | 여행 계획 세우기 |
|---|---|
| 오전 10시 – 11시 | 가방 싸기 |
| 오후 1시 – 2시 | 강아지 산책시키기 |

**51** 해설 가방을 싸기 전에 여행 계획을 세웠으므로 before를 쓴다. (▶ POINT 2)

해석 Lucy는 그녀의 가방들을 싸기 전에 그녀의 여행 계획을 세웠다.

**52** 해설 가방을 싼 후에 강아지를 산책시켰으므로 after를 쓴다. (▶ POINT 2)

해석 Lucy는 그녀의 가방들을 싼 후에 그녀의 강아지를 산책시켰다.

# MEMO

# MEMO

# MEMO

# 해커스

# 쓰기자신감 Level 1

## 정답 및 해설

Smart, Useful, and Essential Grammar

# HACKERS
# GRAMMAR SMART

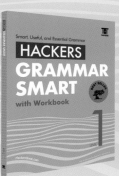

간결한
문법 설명

유용한
표현과 예문

학교 시험 기출경향
완벽 반영

풍부하고 다양한
부가 학습 자료

Smart, Skillful, and Fun Reading

# HACKERS
# READING SMART

유익하고 흥미로운
독해 지문

최신 개정 교과서
완벽 반영

직독직해 및 서술형
문제 대비 워크북

해커스북 중·고등
HackersBook.com

# 나에게 맞는 교재 선택!

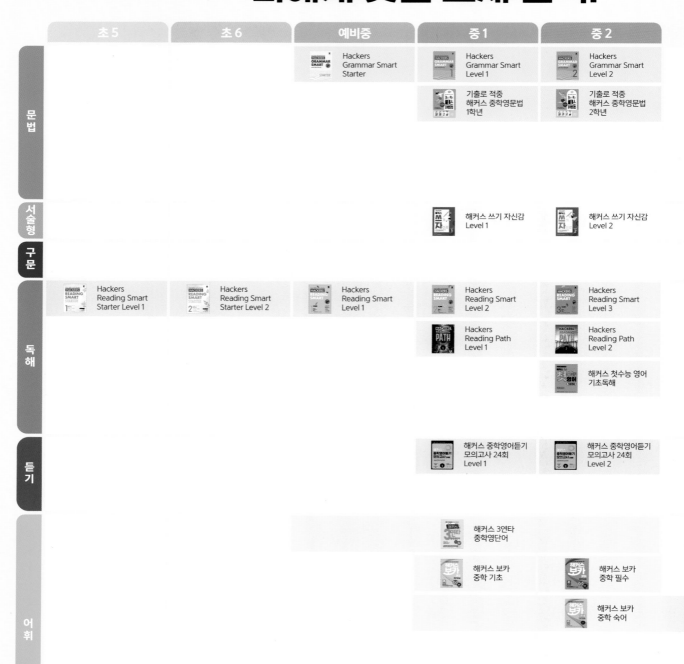

| | 초5 | 초6 | 예비중 | 중1 | 중2 |
|---|---|---|---|---|---|
| 문법 | | | Hackers Grammar Smart Starter | Hackers Grammar Smart Level 1 | Hackers Grammar Smart Level 2 |
| | | | | 기출로 적중 해커스 중학영문법 1학년 | 기출로 적중 해커스 중학영문법 2학년 |
| 서술형 / 구문 | | | | 해커스 쓰기 자신감 Level 1 | 해커스 쓰기 자신감 Level 2 |
| 독해 | Hackers Reading Smart Starter Level 1 | Hackers Reading Smart Starter Level 2 | Hackers Reading Smart Level 1 | Hackers Reading Smart Level 2 | Hackers Reading Smart Level 3 |
| | | | | Hackers Reading Path Level 1 | Hackers Reading Path Level 2 |
| | | | | 해커스 첫수능 영어 기초독해 | |
| 듣기 | | | | 해커스 중학영어듣기 모의고사 24회 Level 1 | 해커스 중학영어듣기 모의고사 24회 Level 2 |
| 어휘 | | | | 해커스 3연타 중학영단어 | |
| | | | | 해커스 보카 중학 기초 | 해커스 보카 중학 필수 |
| | | | | | 해커스 보카 중학 숙어 |

| | READING | LISTENING | VOCA |
|---|---|---|---|
| 토플 | HACKERS APEX READING for the TOEFL iBT<br>Basic/Intermediate/Advanced/Expert | HACKERS APEX LISTENING for the TOEFL iBT<br>Basic/Intermediate/Advanced/Expert | HACKERS APEX VOCA for the TOEFL iBT<br><br>HACKERS VOCABULARY |